LA RUPTURA POSMODERNA

Jaime María Ferrán

LA RUPTURA POSMODERNA

ESTETICISMO Y CULTURALISMO
EN LOS
POETAS *NOVÍSIMOS* ESPAÑOLES

SEVILLA MMXVII

ILUMINACIONES

RENACIMIENTO

Colección Iluminaciones
(Filología, crítica y ensayo)

119

Director:

José-Ramón López García

www.editorialrenacimiento.com
POLÍGONO NAVE EXPO, 17 • 41907 VALENCINA DE LA CONCEPCIÓN (SEVILLA)
tel.: (+34) 955998232 • editorial@editorialrenacimiento.com

Diseño de cubierta: Equipo Renacimiento

DEPÓSITO LEGAL: SE 563-2017 • ISBN: 978-84-16981-36-6
Impreso en España • Printed in Spain

A la memoria de mi padre,
el poeta Jaime Ferrán (1928-2016).

PRÓLOGO

A L estudiar a los novísimos —los poetas españoles que, generacionalmente hablando, son parte de la generación del final de los años sesenta—, hay que aludir al hecho de que su poesía fue, sobre todo, una superación del realismo social de los cincuenta, un realismo que ya no conectaba con los cambios culturales de los sesenta. La sociedad española se había transformado y estaba mucho más desarrollada gracias al *milagro económico de los sesenta*. El aperturismo cultural en un país que estaba cambiando pero que estaba todavía gobernado por una dictadura, la del General Franco, era para estos poetas una manera de superar el provincianismo y el aislamiento de la época anterior.

La necesidad de apertura les lleva a interesarse por la cultura fuera de las fronteras de España y es por eso que surgen poemas dedicados a Venecia, a Beverly Hills y a Carnaby Street en Londres. La poesía se llena de intertextualidades y alusiones a la literatura francesa y a la británica, al cine y al jazz, a las ruinas de Italia, al cómic y a la literatura infantil. A estos poetas les fascina la imagen como signo cultural porque el signo revierte al tema de la representación. La poesía es una representación de una experiencia, pero ésta no puede existir sin la fabulación. El esteticismo de la generación se relaciona con la posmodernidad cultural al presentar una imagen artística en la cual se hace referencia al acto de la creación. La escritura lírica es una ficcionalización y el arte es fundamental porque *desde él* se puede hablar de la poetización y del acto creador. Los novísimos encuentran en el mundo artístico una semblanza, un reflejo de lo que ellos mismos están haciendo. De ahí que en los primeros años de la renovación poética, a mitad de los sesenta, entre 1966 y 1967, fuesen fundamentales libros como *Arde el mar* de Pere Gimferrer, *Dibujo de la muerte* de Guillermo Carnero y *Teatro de operaciones* de Antonio Martínez Sarrión, poemarios que promocionaban la nueva visión estética.

Pero también es verdad que el esteticismo lleva a este grupo a escribir con una conciencia metapoética, con un entendimiento de que la poesía es una representación. Al comentar este asunto desde la perspectiva del culturalismo de la generación, Juan José Lanz explica en su antología de 1997 que «la escritura remite a sí misma, el lenguaje del poema remite a otros lenguajes, la voz del autor a otras voces que convergen en el poema» (44). Para esta promoción, el tema de la representación tiende a ser un juego, pero es un juego muy sofisticado y a veces incluso barroco, cargado de referencias intertextuales muy elaboradas.

Es diferente esta actitud de la de los poetas de la modernidad vanguardista española, la generación de 1927. La representación poética en este grupo produce un icono metafórico. En poetas como Federico García Lorca, Luis Cernuda o Vicente Aleixandre, existe la convicción de que lo representado tiene un carácter transcendente. La transcendencia no es religiosa sino estética. La poesía tiene la capacidad de representar una visión del mundo y la afirmación de esta visión está por encima de lo cotidiano. En términos generales, la modernidad en la primera mitad del siglo XX tiende a valorar la esencialidad de la obra artística. En el ámbito del arte o en la literatura, la creación artística tiene una aureola de originalidad y el creador cree en los objetivos de su obra, entendiendo que ésta contiene significados profundos.

En la época de la posmodernidad, los nuevos medios de comunicación –el cine, la televisión, la publicidad– multiplican las posibilidades de interpretación. Andrew P. Debicki explica que para el lector posmoderno, la posibilidad de que una obra literaria o artística contenga significados permanentes, es una cuestión que se pone en duda ya que la nueva actitud se basa en la concienciación de que los signos son cambiantes y mucho más inestables (24). Esta inestabilidad del texto literario se convierte de por sí en una cuestión esencial y a menudo los poemas revierten al proceso de la creación, al hecho de que la literatura, al fin y al cabo, es una ficcionalización de la realidad y de la cultura.

Es asombrosa la capacidad creativa de estos autores, desde Antonio Martínez Sarrión, uno de los mayores, hasta Ana María Moix, la única mujer que apareció en la famosa antología de Castellet. Todo revertía a la libertad del poema y a la necesidad de reivindicar la dimensión estética de la poesía frente al realismo que había dominado en la década anterior. En los cincuenta se había impuesto la idea de *la obligación ética del poeta* y su relación con los problemas de un país en donde todavía existía, muy a flor de piel, la memoria de la Guerra Civil. Los novísimos nacen después de la guerra y su educación sentimental es distinta. Antonio Martínez Sarrión y Manuel Vázquez Montalbán, los dos mayores del grupo, nacen en 1939, pero la mayoría de ellos nace en la década de los cuarenta. A mitad de los sesenta muchos de ellos tienen unos veinte años.

No todos se dedican solamente a la poesía. Muchos han ejercido la traducción literaria; José María Álvarez, por ejemplo, tradujo a Constantino Cavafis y Antonio Colinas a Giacomo Leopardi y a otros escritores italianos. Algunos son profesores de universidad como Guillermo Carnero, experto en el teatro español del siglo XVIII y en el Romanticismo. Gimferrer se dedicó a la crítica de cine y a la crítica de arte, mientras que Ana María Moix, por su parte, cultivó la narrativa y los cuentos de niños. Gimferrer y Moix trabajaron en importantes editoriales en Barcelona. Manuel Vázquez Montalbán se convierte en uno de los novelistas más relevantes de su tiempo. Fue también un prolífico articulista como queda demostrado en las múltiples colaboraciones suyas que salieron en las páginas del diario *El País*, artículos que podían pasar fácilmente de las ideologías políticas al mundo del fútbol. Félix de Azúa es un humanista posmoderno, irónico y sarcástico, que cultiva, a parte de la lírica, el ensayo, la novela y está muy cómodo escribiendo sobre política, filosofía, arquitectura o la poesía de Baudelaire.

En el caso de José Miguel Ullán, se advierte un experimentalismo vanguardista que le lleva a deconstruir la forma poética. Para este autor el poema es un fenómeno indeterminado y la forma en sus poemas refleja estas cualidades. El poeta quiebra el verso para resaltar la identidad sígnica de las palabras. La experimentación radical con el lenguaje le dirigirá hacia la poesía concreta y la poesía visual. Aunque no existe el mismo grado de experimentación formal, la poesía de Jenaro Talens, muy intelectual y filosófica, se adentra en el tema de la auto-reflexividad logrando la concienciación de la textualidad del poema.

El culturalismo no es igual en todos los poetas. La invocación clasicista es una cuestión importante en la poesía de Antonio Colinas, un poeta diferente de los otros miembros de la promoción. Colinas no tiene interés en los nuevos medios de comunicación. El escritor cree que hay que volver a la historia antigua porque la modernidad avanzada, con nuevos medios e inventos, hace que el humanismo haya caído en el olvido. En un libro como *Sepulcro en Tarquinia*, la arqueología es un tema fundamental. Para Colinas, las ruinas físicas son los restos del pasado, pero son también textos que deben ser leídos e interpretados porque en ellos están las claves para entender las fuentes de lo sagrado y el enigma del paso del tiempo. El culturalismo clásico, italiano y mediterráneo de Colinas le sitúa en la intertextualidad posmoderna.

El paisaje de fondo de la generación es el *mayo francés* o *el mayo del 68*, la cadena de protestas de estudiantes izquierdistas en Francia que llevaron a una revolución cultural que si bien no logró los cambios políticos ni la transformación económica, inauguró una actitud en contra de la sociedad de consumo y del *establishment*. No sólo hubo protestas en Francia, en Estados Unidos por ejemplo la lucha por los derechos civiles se intensificó, así como las protestas en contra de la guerra en Vietnam. En abril es asesinado Martin Luther King en Memphis y brotan protestas violentas en muchas de las ciudades del país. En España protestaron los estudiantes de la Universidad de Madrid y hubo huelgas que al final fueron reprimidas por el gobierno de Franco. La llamada *Primavera de Praga* duró de enero a agosto de ese año y fue un período de apertura política que terminó cuando Checoslovaquia fue invadida por las tropas de la URSS y del Pacto de Varsovia. En Francia sindicatos compuestos por unas diez millones de personas se unieron a las manifestaciones estudiantiles. Durante unos días en mayo parecía que se lograría derrocar al gobierno de Charles de Gaulle.

La rebeldía de 1968 marca decisivamente a cada a uno de estos escritores en la época juvenil de su vida cuando están comenzando a publicar y a definir su personalidad literaria. Fue una rebelión de las juventudes mundiales contra todo lo establecido, contra todo lo que les habían obligado a respetar. Es importante entender que el espíritu vanguardista en los novísimos se debía, igual que las revueltas estudiantiles de París, a la necesidad de romper con lo establecido y es por eso que la experimentación era esencial. La ruptura estética era una insatisfacción con la tradición literaria anterior basada en el realismo social y es por eso que se valoraba la libertad creativa ante todo. La libertad era necesaria para poder actualizar la visión cultural y el punto de vista, en un país como España que, a pesar del control del Régimen, estaba cambiando muy rápidamente en sus costumbres. Encontrar sistemas diferentes para enmarcar la mitología cultural de la época era, para estos poetas, la nueva tarea y misión.

CAPÍTULO 1

ESTETICISMO Y POSMODERNIDAD EN LOS POETAS ESPAÑOLES DE LA GENERACIÓN DE 1968

E NTRE la mitad de los años sesenta y el comienzo de los setenta surge una nueva promoción de poetas en España, los llamados *novísimos*. Con el tiempo aparecerá también otro término, *generación de 1968,* para situar a este grupo de poetas jóvenes (en la crítica se utilizan los dos términos de manera intercambiable). Algunos de estos nuevos poetas aparecieron en la famosa y ya clásica antología de 1970 del prestigioso crítico catalán José María Castellet (1926-2014). El libro se titulaba *Nueve novísimos poetas españoles* y el impacto que tuvo fue sorprendente. Presentaba un repertorio de nombres y una selección de poemas que eran notablemente distintos de las tendencias líricas de las promociones anteriores. Los nueve poetas antologados eran Antonio Martínez Sarrión, Manuel Vázquez Montalbán, José María Álvarez, Pere Gimferrer, Guillermo Carnero, Félix de Azúa, Vicente Molina Foix, Leopoldo María Panero y Ana María Moix.

Ese primer grupo fue ampliándose con el tiempo e incluiría a poetas que no habían aparecido en la antología. Son muchos los que están asociados a la promoción, basta mencionar algunos nombres como los de José-Miguel Ullán, Antonio Colinas, Juan Luis

Panero, Jenaro Talens, Luis Antonio de Villena y Luis Alberto de Cuenca. Autoras como Clara Janés y la sudamericana Cristina Peri Rossi también tienen una vinculación con la generación.

Diversas antologías van apareciendo, la de José Batlló, *Poetas españoles poscontemporáneos,* es de 1974 mientras que *Las voces y los ecos* de José Luis García Martín data de 1980. Concepción G. Moral y Rosa María Pereda publicarán *Joven poesía española. Antología e*n el año 1985 en la colección Cátedra de Madrid. En 1997 se publica en la colección Austral la antología de Juan José Lanz, *Antología de la poesía española 1960-1975,* que incluye una nómina total de veintiún poetas y en donde se utiliza el término *generación de 1968* al aludir a esta promoción. Lanz incorpora en el libro a poetas como Diego Jesús Jiménez, Eugenio Padorno, Antonio Carvajal, Antonio Hernández, Fernando Millán, Aníbal Nuñez y Jaime Siles.

Uno de los aspectos más importantes de la poesía de esta promoción es el esteticismo. Juan José Lanz indica en su antología de 1997 que hacia la mitad de la década de los sesenta existe en la poesía española una importante renovación estética. El crítico explica que algunas de sus características fueron el uso de un léxico diferente, un cambio en los referentes poéticos, una cierta fragmentación en la narración del texto lírico y una fascinación con los presupuestos estéticos de los poetas del Modernismo (41). Se buscaba, sobre todo, lo que Lanz, al referirse a la publicación de *Arde el mar* de Pere Gimferrer en 1966, llama «la búsqueda de la palabra bella» (41). El afán de cambio se basaba en una valorización del esteticismo y en un rechazo del realismo social de los años cincuenta, década en donde surge la llamada *poesía social* que tiene entre sus voces importantes a poetas como Blas de Otero, Gabriel Celaya, José Hierro y Gloria Fuertes.

El esteticismo como sensibilidad poética había existido mucho antes en la lírica española, especialmente en los poetas de la generación de 1927; su poesía tiende a ser altamente creativa y artística por el influjo de las vanguardias europeas. Estos autores buscan un sentido de novedad en el verso. Existe la convicción de que el mundo se puede representar de manera metafórica, poniendo el lenguaje de la representación por encima de la verosimilitud realista. La joven promoción de 1968 también cree en la importancia del arte como paradigma para abrir el camino hacia una nueva visión de la poesía, pero en ellos existe una actitud distinta de la de los poetas del 27. Para los novísimos, la poesía basada en el arte tiende a desembocar en una reflexión sobre el hecho de que el poema es un artificio. Esta actitud no impide que el poema tenga valor artístico, pero estos autores no podrían repetir la experiencia modernizadora y vanguardista de la primera mitad del siglo. Habiéndose formado y educado en la España de los sesenta, un país que acusa un fuerte desarrollo económico, y alejados del impacto psicológico de la Guerra Civil, estos poetas son parte de una nueva etapa cultural que pertenece ya a la posmodernidad.

Entender las diferencias entre la modernidad vanguardista española y la poesía sesentayochista es importante para comprender las concepciones estéticas de dos épocas muy diferentes del siglo XX. Los poetas de generación de 1927 son los líderes de la alta modernidad en España. El interés que muy temprano tuvieron, por ejemplo, en la obra de Góngora refleja para Andrew P. Debicki un deseo de elevar el arte por encima de la experiencia cotidiana, dándole más valor y universalidad (17). Debicki utiliza la palabra *icono* para describir este tipo de poesía (23). La palabra significa imagen, cuadro o representación. Para los poetas del 27, el poema es una ejemplificación de una idea artística. Existe la convicción de que lo humano se puede expresar con una visión metafórica y ésta conduce a significados profundos como en el poema de Luis Cernuda «Unos cuerpos son como flores» perteneciente al libro *Los placeres prohibidos* (1931):

> *Unos cuerpos son como flores,*
> *Otros como puñales,*
> *Otros como cintas de agua:*
> *Pero todos, temprano o tarde,*
> *Serán quemaduras que en otro cuerpo se agranden,*
> *Convirtiendo por virtud del fuego a una piedra en un hombre (vv. 1-6).*

Las metáforas que utiliza Cernuda para describir la existencia humana —flores, puñales, cintas de agua— se presentan con la convicción de que reflejan una realidad que está más allá de la experiencia cotidiana. Los versos son parte de un ambiente de sueños que sitúa al poema en un contexto desligado de la realidad inmediata, en un plano superior en donde no existe lo anecdótico y en donde la vida humana es una abstracción o una idealización.

Uno de los objetivos de los poetas de la generación de 1927 es superar la tradición realista del siglo XIX. Son deudores de la tradición literaria española pero también están muy influidos por las vanguardias europeas. Como indica Miguel García Posada, el vanguardismo se traduce en el uso de metáforas. Al principio, las conexiones metafóricas son sencillas en el caso de la *poesía pura*, mientras que, según el crítico, «con el surrealismo, las conexiones entre los dos elementos se basan en una fuerte dosis de arbitrariedad» (30). Para el grupo de 1927, el poema es una visión estetizante.

En el caso de Vicente Aleixandre, la visión tiene un carácter totalizador. La naturaleza y el ser humano son parte de un orden cósmico. Al comentar un libro surrealista como *La destrucción o el amor* (1933), Leopoldo de Luis indica que surgen «los grandes escenarios, de vastedad telúrica, vírgenes aún del paso del hombre, pero donde se registran latidos de un corazón que casi todo lo ignora menos el amor» (20). Esta fe en una visión tan universal es imposible sin una creencia total en la expresividad artística.

La poética del grupo del 68 es diferente porque en ella no existe esta fe. Aunque muchos de los poemas del grupo evocan una belleza muy refinada, casi siempre existe la conciencia de que el texto creativo es un artificio, una creación, y de alguna manera el poeta debe reconocer, aunque sea de manera implícita, este hecho. Uno de los poemas que mejor representa la ruptura con la época anterior, y que además se considera uno de los textos fundacionales, es «Oda a Venecia en el mar de los teatros» de Pere Gimferrer. El texto aparecía publicado en 1966 en el poemario *Arde el mar*. Gimferrer demostraba en esta composición que tenía un dominio prodigioso de un lenguaje estetizante que recordaba la poesía modernista. El texto se basa en un recuerdo de un viaje a Venecia que el poeta hizo a comienzos de los años sesenta. En los primeros versos se abre el escenario de la memoria:

> *Tiene el mar su mecánica como el amor sus símbolos.*
> *Con qué trajín se alza una cortina roja*
> *o en esta embocadura de escenario vacío*
> *suena un rumor de estatuas, hojas de lirio, alfanjes,*
> *palomas que descienden y suavemente pósanse.*
> *Componer con chalinas un ajedrez verdoso.*

El moho en la mejilla recuerda el tiempo ido
y una gota de plomo hierve en mi corazón (vv. 1-8).

Todo el texto incorpora hermosas imágenes de la ciudad: los canales, el mármol y la noche. Hay también una referencia al poeta norteamericano, Ezra Pound. El lenguaje es exquisito y delicado mientras se mezcla el yo presente con el adolescente que cinco años antes visitó y quedó cautivado por la belleza de la ciudad:

Las piedras vivas hablan de un recuerdo presente.
Como la vena insiste sus conductos de sangre,
va, viene y se remonta nuevamente al planeta
y así la vida expande en batán silencioso,
el pasado se afirma en mí a esta hora incierta (vv. 27-31).

En los últimos versos el retablo de recuerdos lleva a un complicado juego de espejos en donde el poema queda anulado:

Helada noche, ardiente noche, noche mía
como si hoy la viviera! Es doloroso y dulce
haber dejado atrás la Venecia en que todos
para nuestro castigo fuimos adolescentes
y perseguirnos hoy por estas salas vacías
en ronda de jinetes que disuelve un espejo
negando, con su doble, la realidad de este poema (vv. 53-59).

El final lleva a una reflexión metapoética sobre el proceso de re-creación del pasado. La estampa veneciana queda anulada por su propia imagen en un espejo y el poema, también una imagen, se desvanece.

Jordi Gracia explica que la exploración del proceso creador es uno de los temas más presentes en *Arde el mar* (22). El poemario está lleno de referencias intertextuales que van legitimando la creación lírica del autor. En la antología de 1997, José Lanz comenta que *Arde el mar* «supuso un hito en el desarrollo poético de la década» (41). Inauguró, además, toda una moda llamada *venecianismo*, seguida por otros poetas, entre ellos, Guillermo Carnero y Antonio Colinas. Andrew P. Debicki declara que el libro de Gimferrer es el gran manifiesto esteticista de los *novísimos*, un libro en donde la ficcionalización es más importante que la realidad cotidiana (143).

En los poetas del grupo de los cincuenta –especialmente en Claudio Rodríguez, José Ángel Valente y Francisco Brines– se puede advertir un cambio de mentalidad a través de la llamada *poesía del conocimiento* que busca significados más ricos dentro de una visión alejada del compromiso con la realidad que habían dominado en los poetas sociales de la promoción anterior. En otros poetas del grupo, como Jaime Gil de Biedma y José Agustín Goytisolo –después de sus importantes contribuciones a la poesía social– se advierte un giro hacia la llamada *poesía de la experiencia*, tendencia que también tiene una cierta presencia en muchos de los otros poetas de esta segunda promoción de la posguerra.

La publicación de *Arde el mar* sin embargo marca el comienzo de una renovación mucho más extrema. Jordi Gracia señala que los poemas «exploraban la imagen plástica y visual como centro neurálgico de la poesía» (21). Se valoriza el potencial creativo de la visión artística en el poema y el lenguaje es completamente distinto, un lenguaje poético inspirado en el preciocismo del verso modernista de los finales del siglo XIX. El poemario significó en 1966 no sólo la ruptura total con el realismo social sino también la inauguración de una etapa nueva en la poesía española. Gracia explica que *Arde el mar* requiere «una participación vigilante del lector para detectar detrás de cada fetiche estético, de cada evocación histórica y sofisticada, una alusión a una forma específica de sensibilidad, a un modo de acercarse al mundo del arte, es decir, a la vida» (65).

Estas cualidades contrastan con el esteticismo vanguardista de los poetas de la generación de 1927. El convencimiento, en estos poetas, de que la realidad se puede representar de manera metafórica, produce una sensación de permanencia del poema-objeto. Cuando Federico García Lorca describe a la mujer gitana en «Romance sonámbulo» lo hace con el verso «verde carne, pelo verde» y aunque esta imagen es insólita, se presenta como una verdad dentro de un contexto completamente metafórico. En cuanto se acepta que el poema describe un ambiente de irrealidad y de imaginación, no se pone en duda la descripción metáforica. Es importante entender que Lorca no sugiere en ningún momento que su poema es una creación; es decir, no existe una conciencia autorreflexiva sobre la idea de que la metáfora es un artificio, un tropo, un mecanismo de invención.

Conviene aclarar que no todas las composiciones poéticas de los novísimos contienen el grado de meditación metapoética que existe en el poema veneciano de Gimferrer. Algunos poemas como «Capricho en Aranjuez» de Guillermo Carnero, publicado en *Dibujo de la muerte* (1967), se dedican sólo a desarrollar la nueva moda esteticista. El poema de Carnero es una recreación del ambiente del palacio y los jardines de Aranjuez. El palacio fue una de las residencias veraniegas de los monarcas españoles. Comenzado durante el reinado de Felipe II, las obras concluyeron durante la monarquía de Fernando VI en el siglo XVIII. Los jardines, que utilizan las aguas del río Tajo, son algunos de los más bellos de España. Carnero evoca el lujo del palacio y el esplendor de los jardines con un verso neorromántico y palabras que recuerdan la belleza del verso modernista:

> *Juego de piedra y agua. Desenlacen*
> *sus cendales los faunos. En la caja*
> *de fragante peral están brotando*
> *punzantes y argentinas pinceladas.*
> *Músicas en la tarde. Crucería,*
> *polícromo cristal. Dejad, dejadme*
> *en la luz de esta cúpula que riegan*
> *las transparentes brasas de la tarde.*
> *Poblada soledad, raso amarillo*
> *a cambio de mi vida (vv. 26-35).*

Lo más notable del poema es el lenguaje. Los vocablos evocan miméticamente la suntuosidad del palacio y la sensualidad de los jardines. El lenguaje es plástico y se parece a un dibujo con todos los detalles de la decoración y del ambiente general del recinto.

El fervor esteticista da paso a una nueva época entre 1968 y 1973. Esta nueva etapa trae consigo la necesidad de replantear la cuestión estética. Lanz describe este período como «un nuevo proceso reflexivo-crítico que toma por objeto la escritura misma y que deriva en la metapoesía» (53). El papel de Guillermo Carnero en este proceso será crucial y en 1971 publica *El sueño de Escipión*. Uno de los poemas del libro, «Chagrin d'amour principe d'oeuvre d'art», es una reflexión sobre el papel de la palabra poética y su capacidad para expresar sentimientos humanos:

Porque el amor nos salva: no haber vivido en vano.
No haber envejecido cuando la noche acaba
ida como sus músicas, darnos como el poema
la razón de estar vivos.
> > *Y gracias al poema*
te llamamos amor. Si no, qué llamaríamos
a tu dudoso hechizo,
siempre el poema definiendo
el monótono encuentro con las sábanas sucias,
propiciando
especies sutiles de flaqueza,
ennobleciendo la común astucia
que nos devuelve el mundo, y hasta nos proporciona
razón para crear (vv. 52-65).

En todo el texto se afirma el poder de la poesía. La palabra lírica es un *don*, es decir, una habilidad especial y mágica. Pero este don, que permite la representación lírica, no funciona completamente sin la ficción, es decir, sin la posibilidad de convertir la vida en literatura:

Amor, poema, una ciudad por ti
es un mundo, una justa
coloración del alba;
es familiar el brillo de su asfalto
y sus calles amigas.
La palabra es un don, y sus goces bastardos
me dan razón de ti, son tu mejor herencia.
Pero no sin ficción. (vv. 90-97)

Debicki indica que para Carnero las analogías literarias tienen una función de correspondencia, es decir, un poema sobre una situación concreta encuentra su correlato en un texto previo que sirve para entender la experiencia que se quiere plasmar en el texto lírico (138). La intertextualidad es una manera de acentuar el poder inventivo del lenguaje poético. Esto es lo que subraya el poeta cuando explica en el texto que la poesía debe aceptar la ficcionalización. De esta manera, Carnero intenta promover una visión culturalista del texto poético. Ahora bien, la metapoesía no es invención de los poetas del 68 y Juan Cano Ballesta aclara que existen abundantes ejemplos de este fenómeno en la poesía española desde el Barroco hasta Juan Ramón Jiménez. El crítico matiza el asunto indicando que «lo que han hecho los novísimos es convertir este concepto en elemento esencial de su teoría y práctica poética» (25).

La literatura posmoderna presenta una pluralidad de significados y a menudo una visión mucho más indeterminada de la realidad. La actitud dominante es la descreencia. Ian Gregson explica que el autor posmoderno se interesa por el tema de textualidad ya que cree que uno está siempre rodeado por signos y representaciones, en vez de verdades absolutas (133). Otra de las peculiaridades de la posmodernidad es el concepto de lo *incompleto*. Observa un estudioso de la literatura posmoderna como Charles Russell en un artículo titulado «The Context of the Concept» que aunque la literatura parezca ser un género autosuficiente, el lenguaje siempre la relaciona con sus propios límites o con cualquier otro discurso. Esto conduce necesariamente a la auto-reflexión (295). Charles Russell es un crítico literario que ha estudiado la auto-referencialidad en la literatura posmoderna. Uno de sus libros importantes es un estudio del vanguardismo en todo el siglo XX, desde la modernidad hasta la posmodernidad: *Poets, Prophets, and Revolutionaries: The Literary Avant-Garde from Rimbaud through Postmodernism* (1985). Es importante también mencionar el papel de Jacques Derrida en la filosofía posmoderna, cuya crítica de la tradición del logocentrismo en la filosofía occidental, le lleva a influir enormemente en cualquier debate posmoderno dedicado a discutir la relación entre la escritura y la representación de la realidad.

En la poesía de la modernidad vanguardista española –los poetas de la generación de 1927– el poema es esencialmente una visión del mundo. En *Sombra del paraíso* (1944), Aleixandre ofrece una representación cósmica de la tierra centrándose en la imagen del paraíso. En el poema «Criaturas en la aurora», el poeta menciona la importancia de los ríos y las olas, de los pájaros y las flores, como imágenes de la belleza virginal, una visión primigenia del universo. Aunque este mundo tiene cualidades oníricas, el poeta presenta su visión con un alto grado de confianza en el discurso poético, como si fuese una verdad. El lector entra en un mundo que es una creación pero que se presenta como si fuese una verdad transcendente. Federico García Lorca presenta en *Poeta en Nueva York* imágenes surreales para expresar su indignación ante una metrópoli que le disgustó profundamente. La imagen surreal aparece en el poema sin ningún cuestionamiento de su capacidad de poder representar la realidad. Aleixandre y Lorca ofrecen estas imágenes poéticas con una fe en la visión artística que tienen del mundo.

Matei Calinescu explica que las vanguardias europeas fueron, en su dimensión artística, una nueva manera de mirar la realidad; rechazaban el pasado y valoraban lo novedoso (117). La generación de 1927 no es completamente vanguardista, ya que conecta con la tradición literaria española –la poesía popular, el cancionero, el romancero y también la lírica culta como la de Góngora– pero no hay duda que el deseo de la novedad existe en este grupo que incorpora los *ismos* europeos. Surge la abstracción intelectual de Guillén en su *poesía pura*, el creacionismo de Gerardo Diego y el surrealismo de Lorca, Alberti, Aleixandre y Cernuda.

El esteticismo del grupo del 27 es moderno y experimental. La experimentación se presenta con la seguridad que se está introduciendo algo original. Para Rafael Alberti una de las figuras que mejor representa la modernidad es Charlot, el personaje del cine interpretado por el actor británico Charlie Chaplin. En el poema titulado «Cita triste de Charlot» del libro *Yo era un tonto y lo que he visto me ha hecho dos tontos* (1934), se combina el humor con versos surrealistas. Junto a la alegría del personaje cómico, aparece la tristeza de la vida moderna, burguesa y mecanizada:

> *Era yo un niño cuando los peces no nadaban,*
> *cuando las ocas no decían misa*
> *ni el caracol embestía al gato.*
> *Juguemos al ratón y al gato, señorita.*
>
> *Lo más triste, caballero, un reloj:*
> *las 11, las 12, la 1, las 2.*
>
> *A las tres en punto morirá un transeúnte.*
> *Tú, luna, no te asustes;*
> *tú, luna, de los taxis retrasados,*
> *luna de hollín de los bomberos (vv. 1-10).*

Las imágenes funcionan para escenificar un mundo funcional y onírico, una ciudad en donde la alienación y la soledad existen en un ambiente lleno de relojes, calles, máquinas y vehículos. La modernidad mecanizada cuesta entender ya que está llena de objetos impersonales que son extraños. Es por eso que el poeta la mira con la sorpresa y la melancolía tierna de Charlot. Lo que importa en este texto es el uso de metáforas atrevidas e insólitas. A nivel representativo, Alberti presenta la escena con la sensación de que existe, de que es real, y el lector entra en ella sin cuestionar la verosimilitud.

Los poetas sesentayochistas también buscan la innovación porque se relaciona con el deseo de ruptura y la necesidad de una nueva versión, radicalmente diferente. Interesa que el nuevo lenguaje de la poesía sea original y deslumbrante. Existe, al mismo tiempo, la conciencia de que cualquier actividad creadora es un ejercicio en el terreno ambiguo de la representación. La obra artística o literaria es una representación y, por lo tanto, una ficción. El carácter autorreflexivo de la poesía sesentayochista sugiere una visión mucho más libresca del mundo que la de los poetas del 27. Para los novísimos, el poema, al fin y al cabo, es una creación. La literatura no es la realidad porque en la actividad creativa hay todos los elementos de la invención. Los sesentayochistas buscan la novedad pero con una conciencia de la auto-referencialidad de la literatura.

En la época histórica en la que estos poetas se forman, en los años sesenta, la multiplicidad de medios expresivos –el cine, los programas de televisión o el cómic– hace que interpreten la propia literatura como un tipo de textualidad. Es por eso que existe la tendencia a acentuar el carácter textual del poema y su capacidad de comunicación cultural (el texto como artefacto de la cultura). A partir de estas consideraciones hay una asombrosa capacidad de juego, que hace que la poesía sea entretenida y lúdica, a veces provocativa y otra veces muy plástica. Lo que prima en el poema es la conexión con la cultura, entendida ésta de manera muy amplia. La libertad creativa es esencial. El poder o privilegio que tiene el creador para poder escribir sobre lo que le seduzca o le interese en ese momento. De esta manera, la historia de la cultura se convierte en un tema fundamental ya que, en su papel no sólo rupturista sino también revisionista, el poeta del 68 acude al pasado para rescatar aspectos o lecciones que pueden ser útiles o que han quedado en el olvido. Todo lo que es literario interesa –los discursos, los aspectos lexicográficos, las sensibilidades y las innovaciones formales– ya que son posible material para el texto poético.

En *Ritual para un artificio* (1971), Jenaro Talens publica un poema titulado «Faro sacratif», en donde escribe sobre el tema de la ficcionalización utilizando el sentido ambiguo de la palabra *historia*, que puede ser un relato o una explicación del pasado:

> *Toda historia es ficción.*
> *Y más aún: sólo como ficción la historia existe (vv. 37-38).*

Al final del poema, Talens comenta que lo único que queda de una experiencia pasada es su representación:

> *Ninguna flor persiste,*
> *y, sin embargo, todas son,*
> *pues que jamás acecha la caducidad*
> *en el presente inmóvil*
> *del existir, hasta que la memoria*
> *los hechos reinventa y unifica.*

Que el transcurso y el orden,
su sucesividad,
son materia simbólica,
y al final sólo queda
no el tiempo: su ficción (vv. 66-76).

La mirada al pasado ya es, de por sí, una visión ficcionalizada. El papel de la memoria es fundamental en este texto, puesto que es la que reconstruye la historia y el acto de reconstruir es una forma de fabulación.

La memoria, relacionada con la historia y los mitos, es fundamental en la poesía de Antonio Colinas, un poeta que no apareció en la antología de Castellet pero que es considerado parte de la generación. Colinas pertenece a la etapa neorromántica de la generación. Juan José Lanz explica que, alrededor de los primeros años setenta es «cuando los poetas jóvenes comienzan a ascender a través de la corriente de la lírica moderna para beber en sus mismas fuentes románticas y prerrománticas» (56). Este neoromanticismo llevará a un incrementado culturalismo que se puede evidenciar en varios libros publicados entre 1975 y 1979 de autores como Juan Luis Panero, el propio Colinas, Luis Antonio de Villena y Luis Alberto de Cuenca. Antonio Colinas evoca temas clasicistas, especialmente al escribir sobre las ciudades y las ruinas de Italia. Existe un sentido decadentista pero sereno en su mirada del pasado.

En 1975 Antonio Colinas publica *Sepulcro en Tarquinia* y uno de los poemas, «Piedras de Bérgamo», está dedicado a la ciudad del norte de Italia en la región de la Lombardia, cerca de Milán. El poema hace referencia a la capilla Colleoni, construida entre 1472 y 1476 y dedicada al famoso mercenario o *condottiero*, Bartolomeo Colleoni, hijo de una de las familias ilustres de la ciudad. Hay referencias también al poeta italiano del siglo XVI, Torquato Tasso, y a diversos monumentos de la ciudad como el *Castello di San Vigilio*, fortaleza situada en la parte norte de la ciudad con bellas miradas panorámicas hacia los campos y las montañas de la Lombardia. Refiriéndose a la ciudad, en su totalidad, el poema presenta un esteticismo culturalista basado en una contemplación de la geografía histórica:

> *Todo en ti es Oratorio que preludia la noche*
> *funeral de las ramas y el musgo en San Vigilio.*
> *¿Quién borró en tu fachada la leyenda, los frescos?*
> *Déjame que me abrumen tus conventos inmensos,*
> *quiero ver degollados los leones de mármol,*
> *quiero volver los ojos y encontrarte imponente,*
> *toda tu catedral alzada sobre el valle (vv. 19-25).*

El esteticismo se basa en la fascinación con la arquitectura como contenedora de la memoria. Las piedras encierran leyendas y mitos que el poeta va evocando una y otra vez con un verso neorromántico y contemplativo. La historia cobra a menudo un sentido metafísico al conseguir el poeta dar vida al pasado y a sus mitos.

Con respecto a algunos de los otros poetas, conviene destacar a Antonio Martínez Sarrión, en cuya poesía se advierte un fragmentarismo que desafía el concepto unitario del poema, y también a José-Miguel Ullán, un poeta cuyas inquietudes se basan en el lenguaje. Leopoldo María Panero y su hermano Juan Luis son hijos del famoso poeta de posguerra, Leopoldo Panero (1909-1962). La poesía de Leopoldo María Panero refleja una actitud iconoclasta y desmitificadora con atrevidas y a veces chocantes referencias a la cultura pop, al cine y al cómic. Ana María Moix publicó varios libros en la primera época generacional, *Baladas del dulce Jim* (1969), *Call me Stone* (1969) y *No time for flowers y otras historias* (1971). Su poesía, como comenta Andrew P. Debicki, combina estampas sentimentales con referencias a la cultura popular (154).

Clara Janés, escritora barcelonesa, se dedica no sólo a la poesía sino también a la novela, la traducción y la biografía. Cristina Peri Rossi, coetánea de los sesentayochistas y amiga de Ana María Moix, es un caso curioso porque, aunque es uruguaya, sus ideas políticas de izquierdas la llevarán a ser exiliada en 1972 por el gobierno uruguayo y logra aposentarse definitivamente en Barcelona. Aparece en la antología en castellano e inglés titulada *A Bilingual Anthology of Spanish Poetry (The Generation of 1970)*, una antología dedicada a los novísimos. El libro tiene una introducción de Miguel Casado. En la poesía de Peri Rossi se percibe un esteticismo erótico. Su poema «La bacante» de *Diáspora* (1976) describe un ambiente quieto y solitario de agradables interiores que es el escenario de la vida sensual de una mujer:

> *Allí escondida en las habitaciones.*
> *Ah, conozco sus gestos antiguos*
> *la belleza de los muebles*
> *el perfume que flota en su sofá*
> *y su ira*
> *que despedaza algunas porcelanas (vv. 1-6).*

Estos versos sirven como preámbulo para el final en el que la mujer se desnuda y se entrega, sobre el sofá, al placer sexual individual. La función de este poema atrevido es liberadora. Se intenta hablar del erotismo femenino sin las prohibiciones ni los tabúes ni la sensación de pecado que había existido en la educación católica en España durante el franquismo. También es importante constatar que el poema sugiere que lo erótico también puede ser estético.

Un tema que se debe matizar es el de las correspondencias con la poesía del grupo de 1927. Los dos colectivos literarios tienen la similitud de rechazar los movimientos realistas anteriores. Para los autores del 27 el objetivo es superar el realismo decimonónico y lo hacen convirtiendo a Luis de Góngora, el maestro barroco de la metáfora, en el paradigma de su estética. A los poetas sesentayochistas les interesa enterrar un realismo social que para ellos está anticuado. Los dos grupos reaccionan en contra de tradiciones realistas en la literatura pero lo hacen en épocas históricas muy distintas. Los sesentayochistas tienen interés en las tendencias esteticistas, no realistas, del final del XIX: el Modernismo, desde Rubén Darío hasta Manuel Machado, y el simbolismo francés de Rimbaud y Mallarmé. También les inspira la poesía vanguardista de los años veinte y treinta. Los novísimos saltan a una época anterior a la Guerra Civil buscando ejemplos estéticos de rupturismo. Sienten fascinación por la modernidad occidental fuera de España: poetas como Wallace Stevens, T. S. Eliot, Ezra Pound y los surrealistas franceses. En el apartado dedicado al tema de la poética en la antología de Castellet, *Nueve novísimos poetas españoles*, Pere Gimferrer habla de los autores que más le habían influido a finales de los sesenta:

Mis poetas preferidos eran, en España, los poetas del 27, a quienes debo mucho, y fuera de ella, además de Perse, Eliot y sobre todo Pound. Posteriormente descubrí el siglo XVII español y los elegíacos latinos. En prosa (yo, de hecho, he leído siempre más novela que poesía), Faulkner, Proust y Henry James. Siempre me sentí deudor del surrealismo. Todo ello (estas lecturas, esta pasión por el cine, estos gustos estéticos) no era un aspecto de mi vida, sino toda mi vida; no había otra cosa en mi vida que esto (152).

Por su parte, Martínez Sarrión menciona en la antología de Castellet la importancia que tuvieron para él escritores latinoamericanos como Oliverio Girondo y Octavio Paz, así como un poeta español exiliado como Luis Cernuda. También comenta la influencia de la primera obra de Eliot y de ciertos ecos de Ezra Pound. Los surrealistas son también importantes: «alumbramientos de Breton, Benjamin Péret, Soupault, Char o Queneau, permanecen vigentes y utilizables dentro de un contexto cultural específicamente español que despoje a aquéllos de abstracciones y vagorosidades insuflándoles humor y acidez» (89).

En «Paisaje ideal para Paul Éluard» del libro *Teatro de operaciones* (1967), Martínez Sarrión presenta una poesía experimental, llena de inteligencia vanguardista, utilizando referencias al poeta francés, uno de los fundadores del movimiento surrealista. El poema ofrece temas diferentes de manera completamente desconectada. Se juntan referencias a la inversión económica en la vendimia y el vino, por ejemplo, con alusiones a grupos armados de afroamericanos en Estados Unidos cuya violencia sacude repentinamente las bolsas bursátiles internacionales:

> *chalanea Paul Éluard en la vendimia*
> *por ver de ser único comprador*
> *de los sarmientos que arrojaran al fuego*

si no hay licitador
puja la maravillosa entre dos copas de vino
le instruye —es débil— le indica
con el avisador de la bolsa en la mano
cómo ha bajado el dólar es culpa
ya es sabido
de los malditos guerrilleros negros
que hoy conquistaron Denver (vv. 1-11).

Los temas sin conexión entre sí sirven para retratar el neocapitalismo global de los sesenta en donde lo económico es sacudido a menudo por acontecimientos inesperados, produciendo una sensación de irracionalidad y caos. La conexión que logra Martínez Sarrión con el surrealismo es apropiada para retratar un mundo absurdo regido por el azar. Las imágenes dispares están unidas por el hecho de que son parte de un collage. Como indica Andrew P. Debicki, Martinez Sarrión comparte con los poetas surrealistas de Francia el rechazo de las relaciones lógicas y el esfuerzo por transcender los límites de la realidad consciente. El objetivo es dirigir la poesía hacia el juego verbal. Es importante constatar que el poema sin embargo no es el de un *poeta surrealista de los años treinta o cuarenta*, sino el de un autor que escribe durante los sesenta. Lo que consigue Martínez Sarrón es una recreación surrealista en una época muy distinta.

Los poetas del 68 quieren inaugurar una poesía novedosa pero necesitan modelos. En la España de los sesenta estos modelos están en la poesía moderna anterior a la Guerra Civil, no sólo en España, sino también en Europa y en Norteamérica. Los modelos les hacen volver a valorar la importancia de la dimensión artística y este descubrimiento les lleva a pensar sobre la relación entre la palabra lírica y el arte. El venecianismo de Gimferrer fue importante no sólo por la belleza del lenguaje sino porque su oda culmina con la alusión al espejo. Esta imagen es fundamental para entender la nueva visión estética de la generación; el arte es un reflejo, es decir, una imagen. Un poeta como Antonio Colinas cuando se deja fascinar por las piedras de la ciudad italiana de Bérgamo lo hace porque éstas son también un reflejo, una representación de la historia. Pero el arte, como un tipo de ambiente, también se puede disfrutar de por sí sin que haya una reflexión metapoética, como se puede ver en el poema de Carnero dedicado al palacio de Aranjuez.

La palabra *ficción* aparece en dos de los poemas que se han comentado en esta sección: «Chagrin d'amour principe d'oeuvre d'art» de Guillermo Carnero y «Faro sacratif» de Jenaro Talens. La obra poética vista como entidad ficticia revierte al tema de la representación. La poesía es una recreación y, como tal, tiene que reconocer su parentesco con el mundo del arte. Pero, de una manera más amplia, toda creación es parte de un entramado de creaciones pasadas que son, en su totalidad, la historia de la cultura. El poema no puede existir sin un reconocimento de esta deuda con el pasado cultural. El reconocimiento de la importancia de la intertextualidad es parte integrante de la ruptura estética sesentayochista, un cambio que sitúa a estos autores en la posmodernidad literaria.

CAPÍTULO 2

LA RUPTURA CON LA POESÍA SOCIAL, LA NUEVA SENSIBILIDAD Y EL MUNDO DEL CINE

E N *Nueve novísimos poetas españoles*, José María Castellet escribe un largo prólogo en el cual comenta que hacia el año 1962 el realismo social había entrado en crisis (21). En la novela, el cambio está marcado por la publicación en ese año de *Tiempo de silencio*, obra que abre el camino hacia una experimentación formal en la narrativa que se podrá evidenciar también en novelistas como Juan Goytisolo y Juan Benet. El realismo social había llevado, en el terreno de la poesía, al movimiento de la *poesía social*. Dicho movimiento veía la lírica como un instrumento para cambiar la realidad. La injusticia social, la defensa de los débiles y la búsqueda de una voz elocuente que tome en cuenta la importancia del pueblo, eran temas afines a un movimiento que tuvo representantes importantes como Gabriel Celaya, José Hierro, Blas de Otero y Gloria Fuertes. La poesía social fue una manera de protesta, el objetivo era denunciar la situación general en España, en un país gobernado por una dictadura.

En la antología, Castellet indica que la filosofía sobre la cual se basaba el realismo social «vaciaba a la literatura de su inalienable carácter de experimentación creadora» (22). Es importante tomar en cuenta, en la antología, los comentarios de Antonio Martínez

Sarrión en el apartado dedicado al tema de la poética. Cada uno de los poetas antologados tenía que ofrecer una serie de observaciones sobre este tema. Martínez Sarrión destaca la importancia que tuvo en su día la poesía social y observa que cuando empezaba a escribir poesía, lo que se tendía a escribir en ese entonces era poesía social, pero argumenta asimismo que la poesía no podía convertirse en «un instrumento de agitación política» (88). Lo había sido para poetas como Rafael Alberti y Miguel Hernández en la época de la guerra española, y para Neruda y Nazim, pero no lo podía ser para su generación. Las circunstancias históricas no se reproducen de manera mecánica y que lo que fue decisivo para él y para sus coetáneos fue otra circunstancia, la apertura cultural de los años sesenta:

> Acceso más fácil a libros editados en el exterior, fundamentalmente en Latinoamérica (las ediciones en nuestro país eran absolutamente deleznables y no me refiero sólo a poesía) consideradas hasta los últimos años cincuenta como clandestinos o poco menos; conocimiento de lenguas extranjeras (radicalmente básico en la formación de un poeta), vivos contactos personales, viajes al exterior, interés por otras formas culturales, no literarias en sentido estricto, muy evolucionadas y de sorprendente madurez y exigencia (cine, música folk, blues, jazz, tendencias pictóricas como neodadá, pop, comics, últimamente, etc.). Este dato de avidez y curiosidad apasionada por las vanguardias mundiales me parece decisivo en los poetas de mi generación (89).

Los poetas del 68 escriben de manera diferente, si se toma en cuenta que la poesía de Blas de Otero o de Gabriel Celaya, por ejemplo, —dos figuras emblemáticas de la poesía social en los cincuenta— tiene casi siempre un aire de seriedad, solemnidad y de urgencia moral. A Otero y a Celaya les preocupaba la situación general de España y querían que la poesía fuese una vía para el cambio. La poesía de Gloria Fuertes es diferente en términos del tono ya que su lírica contiene un elemento de humor; es mucho más desenfadada. En el caso de Otero y Celaya, se advierte la influencia del pensamiento existencialista, tendencia que desaparece ya en la poesía sesentayochista. El poema «La Tierra» de Blas De Otero, por ejemplo, del libro *Ángel fieramente humano* (1950), es un claro ejemplo de una postura existencialista con respecto a la vida humana:

> *Pero viene un mal viento, un golpe frío*
> *de las manos de Dios, y nos derriba.*
> *y el hombre, que era árbol, ya es un río (vv. 9-11).*

El tono general de este poema de Otero está lleno de una sensación de pesimismo. Vivir en la tierra es una condena, una especie de exilio. El texto es una metáfora de la vida existencial en un país desesperanzado. En 1954, el poeta Gabriel Celaya, vasco también como Otero, publicaría uno de los poemas más emblemáticos de la poesía social española, «La poesía es un arma cargada de futuro». El poeta se propone superar la desilusión, canta elocuentemente el tema de la solidaridad social y se sitúa al frente de una batalla a favor de la esperanza de un futuro mejor para España:

> *Quiero daros vida, provocar nuevos actos,*
> *y calculo por eso con técnica, que puedo.*
> *Me siento un ingeniero del verso y un obrero*
> *que trabaja con otros a España en sus aceros (vv. 33-36).*

Los dos poemas anteriores contrastan, en términos del tono y en el mensaje esencial, con un poema de Manuel Vázquez Montalbán de su libro *Una educación sentimental* (1967), titulado «Nunca desayunaré en Tiffany...». El poema combina lo conmovedor y lo absurdo en una composición culturalista que hace referencia a la película de 1961, «Breakfast at Tiffany's», cuya trama tiene lugar en Nueva York. La película está protagonizada por el actor George Peppard y la actriz Audrey Hepburn que hace el papel de una chica de alta clase que frecuenta los café de lujo de la metrópoli norteamericana.

La composición de Vázquez Montalbán incluye también referencias al poema «Canción de jinete» de *Romancero gitano* de Federico García Lorca (el verso «Aunque sepa los caminos / yo nunca llegará a Córdoba» se incorpora en el poema). La cita intertextual crea una correspondencia entre el jinete de Lorca que morirá antes de llegar a la ciudad andaluza, y el narrador del poema que nunca podrá visitar Tiffany's, la mítica tienda neoyorquina en la película:

> *Nunca desayunaré en Tiffany*
> *ese licor de fresa en ese vaso*
> *Modigliani como tu garganta*
>
> > *nunca*
>
> *aunque sepa los caminos*
>
> > *llegaré*
>
> *a ese lugar del que nunca quiera*
> *regresar*
>
> > *una fotografía quizá*
>
> *una sonrisa enorme como una ciudad*
> *atardecida, malva el asfalto, aire*

que viene del mar
y el barman
nos sirve un ángel blanco, aunque
sepa los caminos nunca encontraré
esa barra infinita de Tiffany (vv. 1-16).

El humor es recurrente en la poesía de Vázquez Montalbán y en otros géneros que cultiva como el ensayo. Un ejemplo es el ensayo sobre el tema de la poética en *Nueve novísimos poetas españoles*. Las declaraciones del escritor están muy alejadas de cualquier intento de darle un sentido serio al tema de la justificación del acto poético. El autor reconoce que en su juventud estaba interesado en temas como la justicia social, pero lo comenta de manera divertida: «yo en mi adolescencia era muy tigre de papel y muy reformista» (57). Se indica que el acto de escribir siempre está condicionado por la sociedad en la que uno vive que. Todo el ensayo está lleno de digresiones humorísticas, alusiones a la cultura popular, y comentarios sobre figuras clave de la historia del siglo XX como los políticos, Kruschev o Eisenhower, o novelistas como Hemingway y Faulkner. El ensayo se puede interpretar más como una larga columna periodística que como un ensayo filosófico. Algunas de las digresiones son cómicas y el autor dice en un momento que el F. C. Barcelona ganará la liga de fútbol y nombra los jugadores titulares del equipo. La intención es quitarle cualquier sentido transcendente al tema de la poética.

Este tipo de actitud concuerda con lo que algunos teóricos observan en el arte y la literatura de la posmodernidad. La profesora canadiense Linda Hutcheon, autora de muchos libros sobre la posmodernidad, es especialista en el tema de la parodia. Entre sus primeros libros teóricos destacan *A Theory of Parody: The Teachings of Twentieth-Century Art Forms* (1985) o *A Poetics of Postmodernism: History, Theory, Fiction* (1988). La profesora cree que las obras posmodernas tienen la virtud de rechazar la búsqueda de soluciones totales a los problemas contradictorios de la sociedad. La habilidad que tiene la obra posmoderna de cuestionar las diferentes posiciones ideológicas es una manera de protegerse ante posiciones demasiado absolutas. Hutcheon explica que muchos artistas y escritores posmodernos acentúan la importancia de la creatividad pero minimizan cualquier tipo de visión totalizadora (253).

Según Hutcheon, principios como la verdad, el orden, el significado total, el control y la identidad, son premisas existentes en el liberalismo burgués de la modernidad. Las contradicciones existentes que se pueden observar en muchos creadores posmodernos sirven para aclarar que las premisas sobre las cuales está justificado cualquier sistema de legitimación no son, en el fondo, más que estructuras ideológicas (254). Hutcheon ve la poética de la posmodernidad más como un proceso que un discurso legitimador. La poética posmoderna no establece ningún tipo de relación de causa o de identidad entre el acto creador y el mundo de la teoría. La profesora indica que la actitud posmoderna es revelar cuáles son los sistemas ideológicos y culturales que constituyen nuestro mundo, sistemas que hemos construido nosotros mismos para cubrir nuestras necesidades.

Para Vázquez Montalbán el sistema que domina en España y en el mundo occidental es el neocapitalismo. En el ensayo incluido en la antología de Castellet escribe que el intelectual es «como un idiota, única actitud lúcida que puede consentirse un intelectual sometido a una organización de la cultura precariamente neocapitalista» (57). La declaración lleva a la conclusión de que cualquier esfuerzo por parte del escritor de ser verdadero es inútil: «la cultura y la lucidez llevan a la subnormalidad… cuando cambien las cosas entonces cambiaré de creencias estéticas. De momento éstas me han costado mucho de adquirir: Tal vez está mal decirlo, pero un servidor no le debe nada a nadie y puede caminar con la cabeza muy alta» (57). También comenta que los escritores pertenecen a un grupo muy restringido de gente culturalizada, y la poesía «tal como está organizada la cultura, no sirve para nada. Sospecho que no sirve para nada en ninguna parte» (57). Las reflexiones de Vázquez Montalbán implican una manera de pensar distinta de la que había dominado en los poetas sociales. Influidos, muchos de ellos por el marxismo, creían o querían creer que la poesía podía inspirar lo suficiente que se podría llevar a cabo la transformación de la sociedad.

Para los poetas sociales la poesía era sobre todo una forma de comunicación. En los poetas de los 50 –el grupo de Ángel González, José Ángel Valente, Claudio Rodríguez y Jaime Gil de Biedma– la poesía es una manera de conocimiento. Luis García Jambrina destaca este aspecto en *La promoción poética de los 50* comentando que el modo de conocer en este grupo se puede relacionar con el mundo inmediato o con una realidad más esencial o transcendente (50). En un ensayo de 1957, titulado «Conocimiento y comunicación», José Ángel Valente declara que la poesía es «en principio un sondeo en lo oscuro» (98). La lírica, para Valente, es una manera de conocer la realidad y el mundo. El conocimiento lírico se parece al proceso de indagación en la poesía mística. En claro contraste, Manuel Vázquez Montalbán explica el fenómeno de la poética con una actitud muy diferente:

> Creo que escribir es un ejercicio gratuito que satisface las necesidades de unos 2.000 culturalizados progresistas. De esos 2.000 culturalizados, hay 700 u 800 que están de acuerdo con lo que

uno escribe. Otros 500 le conocen a uno con mayor o menor aproximación y no están dispuestos a tomarle en serio. Los 700 restantes son críticos, vecinos y ex-compañeros de colegio. Hay que reservar una plaza especial para Gimferrer que se lo lee todo y otra para Castellet que se lo lee todo para luego hacer antologías. Las antologías sí que se leen. Creo que a partir de ahora sólo escribiré antologías (57).

Es curioso observar que el escritor no ofrece ninguna dimensión filosófica. Las referencias a figuras relacionadas con la antología –Pere Gimferrer y el editor del libro, José María Castellet– sirven para acentuar el carácter bromista y desmitificador del ensaya. El objetivo es ofrecer una perspectiva irónica sobre un tema tan transcendente como es el significado de la creación literaria.

Manuel Vázquez Montalbán nace en Barcelona en 1939 y fallece en Bangkok en el 2003 en uno de los múltiples viajes que hizo como conferenciante y personalidad literaria. Al publicarse la antología de Castellet, había ya publicado varios libros de poemas, *Una educación sentimental* (1967), *Movimientos sin éxito* (1970) y *Manifiesto subnormal* (1970). En 1961 ingresa en el PSUC, el partido comunista catalán en la clandestinidad y en 1962 fue encarcelado en la prisión de Lérida por sus actividades antifranquistas. Al dejar la cárcel, se puso a escribir para la revista *Triunfo* y fue parte de uno de los equipos editoriales más importantes de la resistencia al franquismo. Al final del ensayo, el escritor se refiere a esa etapa política:

Olvidaba algo. Creo en la revolución. Con una condición: la libertad de expresión. Otra condición (si no es mucho pedir): que en todas las oposiciones para burócrata revolucionario sean obligados ejercicios orales y escritos sobre mi obra en prosa y en verso. Tampoco estaría mal que en los textos de Enseñanza Revolucionaria se utilizaran fragmentos de mis obras como ejercicios estilísticos. Hay que ayudarse los unos a los otros (58).

El escritor habla de una manera muy desenfadada sobre las ideas revolucionarias. Se nota el tono irónico. La época ha cambiado y está marcada ahora por las transformaciones económicas del *milagro español*. La proliferación de fábricas trae consigo las ventas de automóviles y comodidades como frigoríficos, cocinas modernas y aparatos electrónicos. Los planes de desarrollo en España son llevados a cabo por los tecnócratas del Opus Dei a quienes Francisco Franco delegó la tarea. Los tres planes de desarrollo (1964, 1968 y 1972) provocaron un fuerte crecimiento económico en el país.

Castellet ya indicaba en *Nueve novísimos poetas españoles* que los sesenta fue una década muy condicionada por muchos de estos factores de cambio. El crítico mencionaba la explosión económica como el primer elemento, pero también señalaba la importancia del acercamiento cultura a Europa y «la tímida, pero efectiva, evolución de las costumbres» (25). El crítico hablaba también del incremento de estudiantes universitarios, de la crisis en la Iglesia, de la Ley de Prensa de 1966 y del ascenso de Barcelona como centro cultural pero siempre «pequeño-vanguardista». Le daba mucha importancia Castellet al auge de los *mass media*. Aunque fuesen de baja calidad en un país que no tenía un humanismo literario fuerte como en el resto de los países occidentales, ni tampoco una tradición de libertad de expresión, sí tuvieron un importante impacto socio-cultural. Castellet señalaba el impacto de la radio, la televisión, la publicidad, la prensa, las revistas ilustradas, las canciones, los tebeos y las fotonovelas. La atracción popular de estos medios presuponía «la creación constante de mitos» (24). Llega el autor incluso a decir que se vive una época que está fundamentalmente volcada al mito –al proceso de mitificación–. El autor daba ejemplos como la mitificación de futbolistas como Di Stefano o Kubala, la de actores famosos de Hollywood como Richard Burton y Elizabeth Taylor o la de revolucionarios latinoamericanos como el Che Guevara.

Como contraste con la época de los años cincuenta, conviene indicar que en 1954, en el libro *España, pasión de vida*, Eugenio de Nora presentaba un texto poético dedicado al tema del patriotismo agonizante. El poema se titula «Patria»:

> *Fui despertado a tiros de la infancia más pura*
> *por hombres que en España se daban a la muerte.*
> *Aquí y allá, por ella. ¡Mordí la tierra, dura*
>
> *y sentí sangre viva, cálida sangre humana!*
> *Hijo fui de una patria. Hombre perdido; fuerte*
> *para luchar ahora, para morir mañana (vv. 9-14).*

Hay referencias a la Guerra Civil y el texto está escrito en clave existencialista. La imagen fundamental es la de un país destruido.

En el poema «¿Yvonne de Carlo? ¿Yvonne de Carlo? ¡Ah! ¡Yvonne de Carlo!», de Manuel Vázquez Montalbán, –composición que aparece en *Nueve Novísimos poetas españoles* (el poema fue escrito expresamente para la segunda edición de la antología)– se puede entender claramente cómo los mitos culturales en España habían cambiado. El texto poético hace referencia a una actriz canadiense, nacida en 1922 en Vancouver, que tuvo un papel importante en la película de 1956, *Los diez mandamientos*; los protagonistas eran Charlton Heston, quien hacía de Moisés, e Yvonne de Carlos quien era era Séfora, su mujer. La compañía Paramount Pictures contrató a la actriz en 1942. Actuó en muchas películas de los cuarenta, cincuenta y sesenta, trabajando en géneros como el western, el cine negro, películas de ambientación árabe, comedias y dramas.

Yvonne de Carlo apareció en la pantalla junto a grandes actores como Burt Lancaster y Clark Gable. Algunas de sus películas más famosas son *Sherezade* de 1947 y *Sombrero* de 1953. La actriz morena de ojos oscuros, era una mezcla de belleza italiana y árabe, atractiva para el hombre español. El poema de Vázquez Montalbán abre de manera nostálgica con la poderosa seducción que ejercía esta mujer, convertida en *sex symbol* en la pantalla de los cines españoles:

> *El pan era blanco*
> *el aceite verde-lodazal*
> *caquis los recuerdos*
> > *Yvonne de Carlo*
> *era el technicolor*
> *en su contorno lila destacaba*
> *la boca corazón, el busto corazón*
> *las bragas corazón en la danza*
> > > *de Sherezade*
> *y en su pequeñez permanecía la promesa árabe*
> *de la mujer portátil complacida*
> *por el ritmo desnutrido*
> > > *del tricycle-man*
> *para nosotros era la chica*
> *redimible como una maestra*

de primera enseñanza

        sus ojos grandes
pero sucios los hemos visto luego
abotonando la penumbra de las cafeterías (vv. 1-19).

El poema da lugar, en la proyección de recuerdos, a reflexiones sobre la educación amorosa en España. Los paseos de los novios en los parques al atardecer llevan a los besos secretos y las caricias:

ambiguos
nos sentimos nacionalmente representados
mas personalmente burlados
a punto sin embargo de enamorarnos
de muchachas con más carne que hueso
de descoloridas bragas blancas

        entrevistas
en furtivas correrías por parques

        repletos de domingo (vv. 37-45).

Se logra pasar, en el poema, de un mundo a otro con completa naturalidad. Del esplendor de Hollywood se pasa a la vida cotidiana del pueblo español, una sociedad que vive la moral católica como tradición, pero que está despertando poco a poco a las costumbres modernas. Otra alusión cultural es la que se refiere a las muchachas que durante el mes desaparecen durante unos días debido a la menstruación. Pero retornan y se dejan besar por el chico que más se parezca al actor norteamericano más atractivo del momento:

atardecía, alguien nos dijo
que las muchachas mueren seis días

cada mes

luego resucitan

aceptan cartas furtivas

y si te pareces a Peter Lawford

se dejan besar (vv. 46-52).

Si uno de los rasgos generales de la relación entre los poetas sesentayochistas y la cultura posmoderna es el tema de la ficcionalización, entonces no se puede descartar el impacto de los *mass media*. El paso, en el poema de Vázquez Montalbán, de la bella estrella de cine a la vida cotidiana española, con referencias al tema de sexo sin los tabúes morales anteriores, es posiblemente el elemento más atrevido y original del poema. El autor logra organizar estas transiciones con las técnicas del collage. El poema es un conjunto de imágenes que van de la pantalla a la realidad costumbrista de la España de los sesenta.

Otro homenaje al cine es el de Antonio Martínez Sarrión en un poema que se titula «El cine de los sábados». La composición no tiene ni comas ni mayúsculas. El poeta recuerda una época en la que tenía quince años, hacia el año 1954. El cine era un fenómeno novedoso en la España de la década de los años cincuenta y bellas actrices como Marilyn Monroe o Yvonne de Carlo aparecían en las pantallas de los cines españoles provocando un escapismo sensual y exótico:

> *maravillas del cine galerías*
> *de luz parpadeante entre silbidos*
> *niños con sus mamás que iban abajo*
> *entre panteras un indio se esfuerza*
> *por alcanzar los frutos más dorados*
> *yvonne de carlo baila en scherezade*

no sé si danza musulmana o tango
amor de mis quince años Marilyn (vv. 1-8).

El final es un contraste entre el esplendoroso espectáculo del cine y la aburrida y rutinaria realidad de la vuelta a casa después de terminada la película. El chico en el poema se encuentra con la cena fría en la mesa pero sus ojos están llenos todavía con las luces mágicas de lo que ha visto durante varias horas.

En 1968 Pere Gimferrer tiene unos veintitrés años y publica *La muerte en Beverly Hills*, su tercer libro después de *Mensaje del tetrarca* y *Arde el mar*. El Poema V del libro es una evocación del barrio hollywoodiano de Beverly Hills en la ciudad de Los Angeles. El autor recoge diversas imágenes como si éstas fuesen parte esencial de su biografía de adolescencia. Escrito en clave romántica, el poema contiene referencias a las películas detectivescas de la *serie negra,* llenas de intriga y suspense. El texto abre con la imagen de una cabina telefónica en donde hay inscripciones escritas con lápiz de labios, las últimas palabras de bellas mujeres que se refugian allí para morir después de un tiroteo. Se alude en el poema a las calles nocturnas y a los amaneceres con los coches policíacos patrullando la zona. El lenguaje es seductor y barroco y las imágenes tienen un aire surreal. El poeta habla de las «calles recién regadas con magnolias» o, cuando se refiere a la mujer recién asesinada es «aquella cuyo cuerpo era un ramo de orquídeas».

Gimferrer se introduce en el mundo de Hollywood de manera fantasiosa, recordando sus enamoramientos juveniles. Desde un ámbito de ensueño, las rubias fallecían en los brazos del poeta después de sufrir las consecuencias de unos destinos trágicos causados por la conspiración:

Herida en los tiroteos nocturnos, acorralada en las esquínas
por los reflectores, abofeteada en los night-clubs,
mi verdadero y dulce amor llora en mis brazos (vv. 13-15).

En el Poema V, las actrices de Hollywood se convierten en una parte importante de la memoria colectiva de una generación española que se educó sentimentalmente viendo estas escenas:

Músicas de otro tiempo, canción al compás de cuyas viejas
notas conocimos una noche a Ava Gardner,
muchacha envuelta en un impermeable claro que besamos
una vez en el ascensor, a oscuras entre dos pisos, y te-
nía los ojos muy azules, y hablaba siempre en voz
muy baja —se llamaba Nelly.
Cierra los ojos y escucha el canto de las sirenas en la noche
plateada de anuncios luminosos (vv. 20-27).

Entre 1964 y 1966 Gimferrer colaboró en *Film Ideal*, revista sobre cine, en donde publicó una decena de ensayos. La revista comenzó a publicarse en 1956 fundada por Félix Martialay, crítico de cine. Fue una de las primeras revistas españolas dedicadas exclusivamente al mundo del cine. Aparte de Gimferrer, otros escritores también publicaron allí, nombres como los de Terenci Moix, Jose María Latorre, Miguel Marías, Fernando Mendez Leite, Arroita Jáuregui, Jesús G. Dueñas, Miguel Rubio, Manolo Marinero, Francisco Marinero, Perez Lozano y Juan Cobos. Bajo la dirección de Martialay se publicaron estudios sobre directores como John Ford, Alfred Hitchcock, Howard Hawks, Anthony Mann, Mankiewicz, Henry Hathaway y Raoul Walsh.

La faceta de cinéfilo le ayudó a Gimferrer a desarrollar sus ideas sobre las relaciones entre cine y poesía. La capacidad que tiene la cinematografía para penetrar en el misterio de lo humano con magia y fantasía se parece a la labor creativa y artística del poeta. En uno de estos artículos de 1964, «Hacia un cine operístico», Gimferrer argumenta que el cine se asemeja a la lírica al entrar en los misterios de la conciencia humana con escenas que son destellos de luz sobre la humanidad (296). Jordi Gracia comenta que la cinematografía logra estímulos sensoriales y conceptuales de manera no racional ya que una película es un tipo de hechicería. Esta característica se puede observar en los propios poemas de Gimferrer, indica Gracia: «el efecto mágico, la misma hipnotizada entrega que hallaremos en sus poemas cuando reconstruya, por ejemplo, la escenografía de un crepúsculo» (45). Al escribir una reseña sobre una película de 1946 como *The Big Sleep* –dirigida por Howard Hawks y protagonizada por Humphrey Bogart y Lauren Bacall– Gimferrer comenta que la dirección de Hawks produce una realidad completa que es interior y a la vez mágica porque se escapa del espectador en el mismo momento en el que parece que se ha convertido en parte de él. La película logra interiorizarse en el observador de manera misteriosa (382). El entusiasmo por el mundo del cine es análogo, según comenta Jordi Gracia, a ese impulso expresivo, innovador y estetizante, que se advierte en los poemas de *Arde el mar* (47). Para el muchacho que, con este poemario había ganado en 1966 el Premio Nacional de Literatura, el cine es un novedoso medio, fascinante porque se incorpora como disciplina a las otras fascinaciones humanísticas del joven autor. Gimferrer explorará también otros terrenos como las artes plásticas, publicando, en los años ochenta, libros sobre pintores como Magritte, Giorgio De Chirico y Toulouse-Lautrec y también una novela sobre el pintor catalán Fortuny en 1983. Dos años después, saldría en 1985 su libro ensayístico *Cine y literatura* en la editorial Planeta de Barcelona.

En el ensayo titulado «Algunas observaciones (1969)», Gimferrer habla de *La muerte en Beverly Hills* y comenta que la época en la que redactó los poemas –entre 1966 y 1967– era sobre todo un esfuerzo por liberarse de *Arde el mar*, buscando en el cine norteamericano temáticas diferentes de las que habían dominado en su libro anterior. También declara que es su poemario más triste, definido por «la nostalgia y la indefensa necesidad de amor» y en donde hay un juego de máscaras y espejos que desarrolla una dimensión irónica en el poemario (147). Lo que es más revelador de estas declaraciones es la capacidad de encontrar en el mundo del cine correlatos para la propia existencia del autor; es decir, cómo en las escenas fílmicas encuentra momentos que corresponden a situaciones o a estados emocionales en su propia vida. El celuloide es un medio válido para evocar una dimensión personal, lo que Gimferrer llama «una historia íntima» (147). El cine es uno de los nuevos mitos culturales en la generación y poemas como los de Gimferrer adoptan este nuevo medio comunicativo para hablar de las nuevas sensibilidades.

CAPÍTULO 3

LA METAPOESÍA: LA CELADA, EL AZAR Y EL SIGNO

U N crítico como Andrew P. Debicki explica que el denominador común de los novísimos se centra en aspectos como el lenguaje innovador, el discurso y la forma por encima del tema y del referente (135). El tema del lenguaje es fundamental pero, al mismo tiempo, los novísimos ofrecen también una *poesía culturalista*. Es fundamental comprender la relación que existe entre estos elementos, el lenguaje y el culturalismo. Lo que le interesa al grupo sesentayochista es la manera o la forma de representar la cultura. Cuando Antonio Martínez Sarrión utiliza el surrealismo para describir una situación de la época en la que escribe, lo que le fascina es el lenguaje estético de esta tendencia: la fragmentación, el collage y las relaciones contradictorias. En autores como Gimferrer o Carnero se advierte la habilidad de mimetizar la lírica modernista; el preciosismo del léxico y la imagen plástica y sensorial. Estos dos poetas utilizan este tipo de lenguaje para admirar obras o lugares de gran belleza y para ellos es importante recuperar una visión primorosa que se ha perdido en España porque la situación difícil en las décadas anteriores –la gris posguerra, la miseria, la reconstrucción de la nación y la instalación lenta de un nuevo régimen– no pedía una poesía basada en la preciosidad verbal.

Si en la nueva promoción se advierte un vanguardismo que recuerda al del grupo de 1927 es porque a los novísimos les fascina la capacidad creativa de las vanguardias, las innovaciones de movimientos como el futurismo, el ultraísmo, el creacionismo, el dadaísmo y el surrealismo. Los sesentayochistas retornan al vanguardismo para mirar el mundo con una actitud distinta. Las correspondencias con las artes plásticas son importantes porque en ellas pueden estar las claves para descubrir un nuevo lenguaje y un nuevo punto de vista. Lo que se logra, en general, es una síntesis, una fusión en la cual se combinan los discursos poéticos y artísticos –muy asimilados y mimetizados– y las nuevas manifestaciones culturales. Hay también una abundante cantidad de poemas dedicados a la historia de la cultura que convierte a la lírica de este período en una especie de museo del culturalismo.

Pero también es esencial tomar en cuenta el carácter metaficticio de mucha de la poesía de esta época. La metaficción es un recurso típico de la literatura posmoderna. Es un modo de auto-referencialidad y pone de manifiesto el carácter constructivo del texto ficticio. El texto es una creación, una invención. Un buen ejemplo de un poema metaficticio es «Celadas» de Pere Gimferrer –versión en castellano del poema «Paranys» escrito en catalán y publicado en *Els miralls* (1970)–. El autor alude a la *celada* que es una trampa o emboscada tendida con sutileza y disimulo. Para Gimferrer el poema contiene trampas que el lector quiere descubrir y descifrar. Estas posibles claves conducen sin embargo a un enigma:

> *Este poema es*
> *una sucesión de celadas: para el*
> *lector y para el*

corrector de pruebas
y para
el editor de poesía.
Es decir,
que ni a mí me han dicho lo
que hay detrás de las celadas, porque
sería como decirme el dibujo
del tapiz, y esto
ya nos ha enseñado James que no
es posible (vv. 1-13).

El significado total del poema es huidizo, desemboca en una incógnita que desafía la razón. La búsqueda de la imagen detrás «del tapiz» es imposible ya que la poesía no obedece a las leyes de la razón. Henry James –el escritor norteamericano que fue uno de los importantes representantes del realismo del final del siglo XIX– ya ofreció un comentario definitivo y concluyente sobre la imposibilidad de poder ver esa imagen primera.

«Celadas» presenta el tema de la representación acentuando la tendencia que existe en el ser humano de buscar la verdad detrás de las cosas. Lo que parece ser un camino hacia la verdad no es más que una trampa maravillosa. El poema es una meditación sobre el carácter indeterminado de la literatura. Son importantes las alusiones al lector y al corrector de pruebas ya que, a través de ellos, se acentúa la idea de que la literatura se basa en el fenómeno de la interpretación. A su vez, la interpretación lleva a entender que la literatura es indeterminada pues depende de factores como la subjetividad, el punto de vista, la opinión, la formación, etc. En el poema, sin embargo, no se advierte una connotación negativa al no poderse ver el dibujo detrás del tapiz. El final queda abierto y de esta manera se mantiene la capacidad de fascinación del poema. El texto es sobre un misterio que está presente, pero al cual no se puede acceder.

Muy relacionado con la idea de que la literatura es indeterminada está el tema del azar. Si la poesía es un recorrido en el que aparece una trampa o emboscada, el descubrimiento puede ser accidental, es decir, el azar puede ser parte del proceso. La cuestión del azar desafía la racionalidad. Lo único que afirma Gimferrer es que la trampa existe y que es determinante. Explicar lo que es un concepto como el azar no es fácil. Un evento azaroso puede estar determinado por la casualidad o puede ser un accidente. Uno de los poetas del grupo a quien más le interesan estos temas es a Félix de Azúa. La cuestión está presente en el poema «El jugador de dátiles» del libro *El velo sobre el rostro de Agamenón* (1970), una antología de la obra poética del autor entre los años 1966 y 1969. Azúa alude a la metáfora del juego de dados. La vida a veces parece determinada por el factor de la suerte, por algo que está fuera del control del individuo:

Y si te dan los dados te dirán: ¡juega la vida!
porque los dados son la cara del insomnio y la pena
y otros hasta doce retratos. Por eso te dirán:
apenas dejo yo dinero en este par
¡ya! dobles, para ti la suerte.
—Para mí la desgracia, centeno y sidra, ésa fue mi desdicha (vv. 5-10).

El humor se incorpora en versos que relatan el resultado negativo de una suerte que convierte al jugador en una persona forzada a comer comida pobre y a arrepentirse de no haber buscado otra manera de ocio:

Cojo los dados, los miro, arrojo y ¡dame!
azar, paso del tiempo, sacrilegio,
cantan bailan suben bajan regocijo geométrico
galanteo de puntos. Resultado.
Avena y trébol, tristeza misma de bacalao y patata
norma del hombre que nunca fuese al cine (vv. 22-27).

Se finaliza con una metáfora chocante, la del «fascista concreto», imagen que implica el hecho de que la vida puede llegar a estar determinada por factores políticos, externos al control del individuo. En este caso, la existencia puede estar afectada por la contingencia política de un momento determinado o por el deseo de una persona que tiene el poder sobre los demás. La vida es un asunto de suerte:

Esto es así:
comprender que las fórmulas vacilan ante la regla
la matemática se incendia ante el derecho
lo abstracto teme la barbarie del fascista concreto (vv. 27-30).

Azúa fue uno de los poetas antologados en *Nueve novísimos poetas españoles* de José María Castellet y pertenece a lo que el crítico catalán llamó la *coqueluche*, el grupo de los más jóvenes: Pere Gimferrer, Guillermo Carnero, Vicente Molina Foix, Ana María Moix y Leopoldo María Panero. Nacido en Barcelona en 1944, Azúa también se ha dedicado también a la novela. Algunas de sus obras narrativas son *Historia de un idiota contada por él mismo* (1986), *Diario de un Hombre humillado* (1987) y *Momentos decisivos* (2000). Entre sus libros de ensayos destaca *El aprendizaje de la decepción* (1989). Su interés en el arte le llevó a ser Catedrático de Estética de la facultad de la Escuela de Arquitectura de la Universidad Politécnica de Cataluña. En el 2007 publica *Última sangre (Poesía 1968-2007)*, libro reseñado por Eduardo Moga, quien destaca rasgos como el culturalismo y unas influencias humanísticas muy amplias: «la poesía de Félix de Azúa es una mezcla de parnasianismo y posmodernismo, de Góngora y Wittgenstein, de Quevedo y Mallarmé» (1).

En *Edgar en Stéphane* (1971) Azúa introduce algunos poemas que desarrollan el tema de la inspiración lírica. En la mitología griega, las musas eran las diosas de la inspiración en la literatura, las ciencias y las artes. En *La odisea* de Homero, la musa es invocada para ayudarle al poeta a contar las aventuras de Ulises. En uno de los poemas, Azúa comienza con una reflexión sobre la intuición del poeta y la llama «obra del sueño», acentuando el carácter enigmático y embrujado de la inspiración. La imagen del «fecundo vientre» deja claro, no obstante, que también está hablando de una mujer, una referencia implícita a la musa literaria:

> *Sí, obra del sueño, hace mucho tiempo que contemplo tu significación*
> *de cómo duermes y haces vivir otras vigilias al dormirte*
> *de tu fecundo vientre estoy hablando*
> *de las imágenes que se repiten en tu galería*
> *y al oírme te esparces y reflejas*
> *alegre como un perro hacia la liebre (vv. 1-6).*

El objetivo es explicar una cuestión tan misteriosa como la iluminación poética. En los versos se advierte una actitud irónica. A través de la hipérbole, el poeta exagera el poder que la poesía —como si fuese una musa— tiene sobre la vida de los que acuden a ella. En lo siguientes versos, la lírica –obra del sueño– se dirige al poeta y le pide que le escriba un himno pero que no divulgue su identidad:

> («¡Habla de mí! ¡Háblales como un ciego
> con ambas manos sobre el pecho! ¡Que tus palabras sean
> el discurso de la oscuridad!
>
> Pero no digas quién soy –Cómo les tomo de la mano
> y los separo para siempre de sí mismos!»).
>
> Estoy hundido en un sillón de cuero.
> pienso en el primer sueño
> y el muñeco de barro. Sí, te escucho
> cada vez más lejana
> salir por la ventana como la música y la luz
> disolverte en el aire dormido
> y así multiplicada llegar a tantos lechos (vv. 7-18).

En la segunda parte de texto, se mantiene el tono irónico y se alude a las muchas personas que han adorado la poesía y que por ella han dado su vida. Hay una imagen fundamental en esta parte. Un postillón, un mozo que va a caballo, se dirige hacia un árbol en donde están inscritas las iniciales del nombre de uno de los melancólicos que se suicidaron:

> (El postillón acucia con su látigo
> en aquel tilo hay unas iniciales
> F. S.
> una figura trágica, un ahorcado

la puerta del infierno —«También tú debes grabar
aquí las iniciales junto a Werther»— las flores
a mis pies entre losas quebradas.

¡Mi dios qué dulce es todo esto! Viejos camaradas
en esta esquina, por aquí pasaron) (vv. 12-20).

La figura de Werther, referencia intertextual al *Sturm und Drang*
de la literatura romántica alemana (concretamente a la novela epistolar de 1774 de Johann Wolfgang von Goethe), le da al poema un
sentimentalismo que tiene que ver con el poder que ha tenido la
poesía en la vida de ciertas personas («F. S.» en el poema puede ser
una alusión al poeta alemán de la misma época, Friedrich Schiller).
El joven Werther estuvo enamorado de Lotte, una mujer casada, y
se pegó un disparo en la cabeza cuando ya no pudo soportar más
un amor no correspondido. Azúa ironiza sobre este asunto indicando indirectamente que esta actitud es exagerada. Dejarse llevar
excesivamente por el sentimentalismo radical es peligroso.

La habilidad de Azúa al parodiar un tema como la inspiración,
tan glorificado desde el Romanticismo, refleja la necesidad de ade-
cuar este tema a la época en la que vive el poeta, un período en
donde la sociedad es mucho más escéptica. Lo que ofrece Azúa es
una historia de la iluminación poética, desde los griegos antiguos
hasta el siglo XVIII, época en la cual el racionalismo del gran *Siglo
de la Luces* entra en conflicto con el movimiento romántico. La idea
de la poesía como una mujer adorada lleva al mismo problema que
tiene cualquier hombre que se entrega ciegamente a la seducción
femenina: acaba fuera de sí mismo, y si llega a un extremo, puede
ser devorado por la pasión.

Este proceso de desmitificación es típico en Azúa. Lo hace el autor con un conocimiento profundo de las referencias literarias, filosóficas y humanísticas. Azúa teatraliza la tradición de la musa literaria, dándole voz a la poesía, haciendo que le hable al escritor y entonces se puede comprender su cruel psicología y su desbordante vanidad. El propósito es mirar el mito de la musa de manera nueva.

Linda Hutcheon comenta que muchos textos posmodernos son metaliterarios, aspecto que les sitúa en un lugar fronterizo en la clasificación de los géneros de la literatura (251). Hutcheon considera que la metaliteratura posmoderna contiene muchas alusiones intertextuales que son específicamente paródicas. Lo que está cuestionando el creador posmoderno es la validez de una continuidad entre el texto y la referencia culta. Un ejemplo que presenta la autora es el eco que existe de la poesía de Dante en la obra *The Waste Land* de T. S. Eliot. Hay en el libro de Eliot un deseo de continuidad debajo de las fragmentadas alusiones a Dante. En la posmodernidad, una de las características generales es la discontinuidad irónica. La parodia es una de las herramientas más eficaces ya que al mismo tiempo que se incorpora la cita o referencia, también se cuestiona o se desafía lo que se está parodiando. El cuestionamiento fuerza la necesidad de reconsiderar ideas fundamentales sobre la relación entre la literatura y el pasado histórico, así como conceptos como el origen, la tradición y la originalidad.

Hutcheon argumenta que el hecho de que existan contradicciones en el creador posmoderno que escribe sobre la poética o la estética, es el resultado de no querer establecer relaciones lógicas entre la teoría y la práctica (255). Lo que importa es presentar estas contradicciones dentro de una especie de juego cuyo fin no es tanto esclarecer la relación filosófica sino más bien indicar que la discordancia no es necesariamente un problema.

La ironía y el humor en Azúa son elementos que reflejan la necesidad de conectar con esta manera discontinua de pensar. Existe una corriente de humor, por ejemplo, en novelistas norteamericanos posmodernos como John Barth, Joseph Heller, William Gaddis, Kurt Vonnegut y Thomas Pynchon. Hay que mencionar también que, en el caso de Azúa, la dedicación a distintos géneros –poesía, novela y ensayo– refleja un humanismo cosmopolita y liberal pero con una formación muy europea de base. Eduardo Moga ofrece una semblanza del poeta destacando su capacidad para convertir la cultura en la materia principal del poema. Según Moga esta pretensión «arrastra, como un río, vastos limos referenciales: la historia, la religión, la mitología, la filosofía, el arte y la literatura se entrelazan en alusiones no siempre reconocibles, que no excluyen el lenguaje de la ciencia ni las expresiones de lo popular» (1). En el 2015 Félix Azúa es elegido para ser miembro de la Real Academia Española. Otro de los poetas del grupo, Pere Gimferrer, es miembro académico desde el año 1985.

Cualquier estudio de la metapoesía en la generación debe aludir también a José-Miguel Ullán (1944-2009), un poeta nacido en Villarino de los Aires (Salamanca). Ullán no apareció en la antología de Castellet de 1970 pero se le considera un miembro destacado del grupo de 1968. En los años sesenta había publicado ya varios libros de poesía, *El jornal* (1965), *Amor peninsular* (1965) y *Un humano poder* (1966). En esta época el autor vive en Francia, en donde toma clases con Pierre Vilar, Roland Barthes y Lucien Goldmann en la École Pratique des Hautes Études y también trabaja en la ORTF dirigiendo las emisiones de France Culture. Retorna a Madrid en 1976 y tendrá una carrera profesional en el mundo del periodismo que le llevará a trabajar para el diario *El País*, Radio Nacional y Televisión Española. También será el subdirector del periódico *Diario 16*.

La poesía de Ullán es radicalmente experimental y vanguardista. El poeta trabaja con el tema de la significación. Cualquier lector busca, a leer un poema, entender el significado total. Los poemas de este escritor, sin embargo, ofrecen sólo destellos de significación seguidos por partes descoyuntadas. Lograr entender uno de sus poemas es un esfuerzo por parte del lector ya que se está siempre aludiendo a la presencia del caos en la creación poética. El poema da más importancia al proceso de la creación –el proceso de reunir signos lingüísticos– que a un significado totalizante. El significado desaparece o se borra, revelando las limitaciones del lenguaje.

En 1972 Ullán publica uno de sus libros más importantes, *Maniluvios* (1972), en donde aparece el poema «Llave de la mano». Dividido en cuatro secciones, el texto está dispuesto sobre la página como una columna. Es difícil, a primera vista, reconocer los cuatro textos como poemas, y la totalidad como una composición lírica. Las secciones no están escritas con versos sino que más bien son *espacios textuales* que se asemejan más a la estructura del párrafo narrativo que a un poema. Pero tampoco se puede decir que es prosa poética ya que no existe la sintaxis ni la gramática. En realidad, cada poema es una secuencia de vocablos.

La primera parte tiene como título «[EL UMBRAL DEL POEMA]» y las primeras tres palabras son fundamentales: «ablanda tu torre», una advertencia al lector de que debe ser tolerante con lo que va a leer. A continuación, hay una sucesión de palabras o expresiones que no parecen tener ninguna conexión lógica entre ellas: palabras como «uña» y juegos verbales como «argo del argo no lanza tanta verdad» («argo» tiene varios significados, uno de ellos es *el vigilante*; tal vez se alude a la idea de una conciencia vigilante). Aparece asimismo la reconocible expresión en francés «je sense déjà» y, después, como una enigma, «la llama entre la y ema (del índex)». Los últimos vocablos son «la semilla del» y «sueño» que está apartada en la misma línea. La primera sección es la siguiente:

[EL UMBRAL DEL POEMA]

Ablanda tu torre uña argo del
argo no lanza tanta verdad je
sens déjà la llama entre la y
ema (del índex) y la semilla
del   sueño.

El texto es un ejemplo de poesía concreta, visualmente organizada dentro de un espacio rectangular. El objetivo es experimentar con la forma y también dejar claro que el poeta, como un artesano, trabaja con una serie de herramientas que son las palabras. Es por eso que éstas se suceden con discontinuidades, igual que el propio proceso de creación que siempre es anárquico. La poesía es una representación del camino que toma la creación, un camino lleno de pausas, obstáculos, fragmentaciones, iluminaciones, concisiones y maneras de sintetizar. Al mismo tiempo esa misma síntesis puede quedar rota. Al final, todo es un intento de representar lo que el poeta llama enigmáticamente «[EL UMBRAL DEL POEMA]», es decir, en donde el poema existe en la mente antes de nacer.

La sección tercera se titula «[NACIMIENTO DEL POEMA]». Esta sección alude a un pájaro, a un «pardal», cantando desde de zarzas. Este canto lleva a «la humedad de la pal» y la palabra «pal» se completa en la línea a continuación con «abra», es decir, se convierte en «palabra». El texto termina con «AMORE» y después «ahora», dos palabras que establecen una relación de aliteración. La sección completa alude al canto de amor con la metáfora del pájaro. La disposición gráfica sobre la página es la siguiente:

[NACIMIENTO DEL POEMA]

de aquel rurrú bajo el zarzal
volvían las febles plumas del
pardal y la humedad de la pal
abra AMORE   ahora

El lector tiene que detenerse ante cada uno de los vocablos para lograr un significado que nunca parece completarse. La cuarta sección alude al tema del azar en la escritura. También aparece una metáfora, «raro candil», que es una lámpara de aceite antigua. La luz se equipara a la idea del conocimiento. Pero para que se divulgue el conocimiento es necesario que haya una actitud de quererlo, de beber de esa fuente. La «sed» es la última palabra de este conjunto:

[LÍMITES DEL POEMA]

Todo es azar el papel
y la herida que lo habi
ta mas necesita eso sí
un raro candil —la sed.

Al final, el lector entiende que el conjunto de todas las partes se titula «La llave de la mano». Se vuelve a la totalidad en el juego de secciones. Los diferentes apartados líricos –organizados verticalmente como un poster o una estructura gráfica– representan varias ideas. Para Ullán la poética tiene que aludir de alguna manera a los límites de la expresión poética y es por eso que se introduce el concepto de la arbitrariedad. Una aceptación del azar hace posible aceptar que la creación viene del caos y es hija de ese desorden enigmático. Es por eso que el poeta presenta un verso quebrado. Al romper sistemas lingüísticos, Ullán está haciendo referencia a una concepción muy posmoderna, que es la idea de que el lenguaje es una construcción humana o un artificio. Por otro lado, cualquier lectura de los poemas de este poeta lleva a advertir una sensibilidad muy lírica con imágenes sensoriales. La musicalidad de la onomatopeya y la aliteración son importantes. Las rimas internas y la organización anárquica son siempre controladas por la inteligencia del escritor. Charles Russell comenta que en la posmodernidad existe un cuestionamiento de los sistemas semióticos que estructuran la sociedad (293). Al romper estos sistemas –al desconectarlos y fragmentarlos– el escritor posmoderno está aludiendo al hecho de que el lenguaje es un sistema de convenciones.

Con su manera de desmontar el sistema, lo que hace Ullán es liberar el poema. La poesía, como fenómeno creativo, debe buscar nuevas y diferentes maneras de expresión. *Maniluvios* presenta una concepción de la poesía entre la señal gráfica y el sentido oculto, entre el signo y una totalidad siempre evasiva. Una lírica, en fin, que se sitúa muy cómodamente en la indeterminación. El poeta también se dedicó a la poesía visual con obras que él llamaba *agrafismos*. No es de extrañar que un poeta, con voluntad vanguardista e interesado en los aspectos formales de la lírica, dirigiese su creatividad también hacia el terreno de las artes visuales, para desde éstas reflexionar otra vez sobre el misterio del lenguaje.

La importancia que le da José-Miguel Ullán a la escritura como proceso y a la palabra como signo conecta con ciertas reflexiones filosóficas de Jacques Derrida, el fundador de la teoría de la *deconstrucción* y autor de una serie de ensayos, publicados en 1967, que tendrán mucho impacto en el pensamiento post-estructuralista. Uno de los cuales es *De la Gramatología*. Al explicar el pensamiento de Derrida, Christopher Norris pone de relieve la crítica que ofrece el filósofo de la tradición logocéntrica en la filosofía occidental. Derrida argumenta que el logocentrismo está muy basado en la idea de que la escritura representa la verdad (69). Derrida aclara que la escritura utiliza un sistema de signos gráficos, fonéticos y alfabéticos que no es el único en el mundo ya que existen otros, por ejemplo, en la antigüedad egipcia o china, sistemas que operan con otra lógica. La escritura no es, por lo tanto, una representación directa de la realidad, sino que es la utilización o la manipulación de un sistema sígnico que opera según el principio de las oposiciones o de las diferencias (por ejemplo el número 1 opuesto al número 0).

Estas alusiones al pensamiento de Derrida hacen pensar en lo que está haciendo José-Miguel Ullán al darle protagonismo en el espacio blanco de la página a la palabra como signo. Al romper el verso tradicional, lo que hace este escritor es situar en un primer plano el hecho de que la escritura es el uso de códigos y símbolos. Éstos aparecen en el poema divorciados de la tradición del verso. También opone Ullán en un mismo espacio diversas palabras poniendo de relieve diferencias que sorprenden. Las contraposiciones le añaden al discurso fragmentado una energía creativa. Se mezclan las expresiones castellanas con las francesas o se pueden yuxtaponer vocablos que difieren fonéticamente.

Existe una sensación de significación en cada una de las partes de un poema como «La llave de la mano», pero al mismo tiempo el lector tiene que enfrentarse con el sistema lingüístico y con el desorden provocado. Desde el desorden nace un producto que nunca está completo. Esta paradoja es fundamental en la poética de Ullán. El hecho de que el poema esté deconstruido –lleno de oposiciones fonéticas y estéticas, y también de juegos verbales– revierte a la importancia de la síntesis secreta y nunca evidente del autor. El escritor conduce al lector hacia un sentido sintético que es sutil pero también incompleto.

Ullán tuvo un profundo interés en las artes plásticas. Su propia poesía tiene cualidades gráficas y en ella existe una fascinación por el marco del poema. Si la poesía es un tipo de discurso, el poeta se pregunta si el marco –es decir, la forma del texto– no es también una parte integrante de la identidad del poema, y si el cuerpo del texto es parte integrante del significado total. El interés en los aspectos formales se debe a las posibles intersecciones entre el arte y la literatura, a las ideas presentes en una disciplina humanística que son pertinentes en otra, y ese vaivén es para el poeta posible fuente de creatividad. En un artículo titulado «José-Miguel Ullán: el poeta también era pintor», Ángeles García destaca este aspecto de su vida. Al dibujar o pintar, el escritor estaba buscando una idea que luego desarrollaría en el poema:

> a lo largo de cuatro décadas largas de escritura, su vinculación con el mundo de las artes plásticas fue constante […] Profundo conocedor del arte, Ullán escribió una parte importante de los catálo-

gos editados para acompañar las grandes exposiciones celebradas principalmente en Madrid durante la transición. Además organizó numerosas exposiciones de artistas mexicanos en España (Frida Kahlo, Manuel Álvarez Bravo, Vicente Rojo) y llevó a los entonces emergentes españoles (Zush, Broto, Sicilia, Ràfols-Casamada) a las salas mexicanas (1).

CAPÍTULO 4

EL CULTURALISMO:
INTERTEXTUALIDAD Y MUNDO LIBRESCO

En *Nueve novísimos poetas españoles*, Félix de Azúa ofrece las impresiones que le causaba la poesía social en el final de los sesenta: «Toda una parte de nuestra poesía actual está convencida de que un poema es un objeto arrojadizo y cuanto más arrojadizo más poético; por el contrario yo creo que lo único arrojadizo son esos poetas» (135). El sarcasmo del escritor pone de relieve el hecho de que la poesía basada en la protesta ya no le interesaba en absoluto. La nueva poética culturalista sesentayochista es una manera de llenar el vacío que deja la poesía social. Lo que le interesa a la promoción del 68 es abrirse a nuevas tendencias. Es por eso que muchos de los temas son referencias a la cultura de países como el Reino Unido, Italia, Francia o Estados Unidos. Es fundamental recordar que España sigue bastante aislada en los años sesenta. A mitad de la década, el franquismo político está en pleno apogeo. Hay imágenes propagandísticas del dictador en todas partes: un jefe de estado ya mayor pero todavía en su sitio, inamovible. El pueblo vive con la realidad de que España es un país europeo, pero políticamente no lo es.

En los poetas de los cincuenta ya se puede advertir una importante vocación aperturista. Es importante la labor que tuvieron como traductores literarios. Jaime Gil de Biedma traduce *Los cuatro cuartetos* de T. S. Eliot, Carlos Barral *Los sonetos a Orfeo* de Rainer Maria Rilke, y José Agustín Goytisolo autores italianos como Cesare Pavese y Pier Paolo Pasolini, así como escritores catalanes como Salvador Espriu y Pere Quart. Claudio Rodríguez y Francisco Brines son lectores en universidades británicas como Cambridge y Oxford, antes de volver definitivamente a España. Otros dos poetas, Ángel González y José Ángel Valente, se irán a vivir fuera. González acabará de profesor en Estados Unidos, en la Universidad de New Mexico, y Valente vivirá en Ginebra en donde trabajará como traductor oficial de las Naciones Unidas.

Con los novísimos, sin embargo, la ruptura poética es mucho más radical. En 1966, al publicar *Arde el mar*, Pere Gimferrer sólo incorpora una poema explícitamente sobre España, «Mazurca en este día», dedicado al cerco de Zamora en el siglo XI. Los otros temas son referencias culturalistas extranjeras, alusiones a ciudades como Venecia, Arezzo, Ginebra y Londres, o a autores como Hölderlin, Oscar Wilde y Ezra Pound. En el poema «Canto» se evocan héroes de la Grecia antigua como Teseo y hay una referencia al minotauro de Creta. Al hablar sobre las influencias en el libro, Gimferrer menciona en *Nueve novísimos poetas españoles* la admiración que tenía por la poesía de la generación de 1927 pero también menciona otros autores extranjeros: Saint-John Perse, T. S. Eliot, Ezra Pound y Octavio Paz, y novelistas como Faulkner, Proust y Henry James (152-53).

Para Félix de Azúa un año decisivo fue 1962. En esta época de juventud –el autor no tenía ni veinte años– descubrió a otros jóvenes intelectuales y lectores que compartían el gusto por importantes autores de otros países. En *Nueve novísimos poetas españoles*, Azúa escribe lo siguiente:

Era en Madrid y yo era mayor de edad. Sucedió que todos éramos estudiantes mal cobijados en pensiones del Barrio de Salamanca y solíamos almorzar en el mismo lugar. Yo oía, hacia el fondo de la tasca, un canto de sirenas que consistía, sobre todo, en una letanía de la *kulchur* –«¡Octavio Paz, Wallace Stevens, Paul-Jean Toulet, George Eliot!», me decían aquellas voces–, de modo que un día me acerqué al lugar con un suntuoso «¡Lezama Lima!» bajo el brazo. Fui inmediatamente adoptado (134).

José María Álvarez es uno de los poetas antologados en la antología de Castellet. Álvarez pertenece –con Manuel Vázquez Montalbán y Antonio Martínez Sarrión– al grupo que Castellet llamó *los seniors*. El poeta comienza su carrera poética interesándose por la poesía social aunque abandonará muy pronto esta tendencia para dedicarse plenamente a una poesía culturalista. Su obra más importante es *Museo de Cera*, colección de poemas cuya primera publicación data de 1974. Con el tiempo el poeta ha ido publicando distintas ediciones y la última versión definitiva es del 2002. Uno de los aspectos más originales de la poesía de José María Álvarez es la utilización de los epígrafes. En muchos poemas dominan la página al haber varios de ellos antes de que comience el texto poético en sí. Jonathan Mayhew incluso llega a decir que los epígrafes a veces parecen ahogar la propia voz poética del autor (119). No obstante, la relación que se establece entre el epígrafe y el poema es importante ya que se pone de relieve la importancia que tiene el paralelismo entre la poesía del autor y sus lecturas.

En los poemas de *Museo de cera* hay referencias a todo tipo de temas culturalistas, desde Shakespeare hasta Hollywood. En un texto como «Lo que el viento se llevó» se utiliza la figura de Falstaff para hablar de manera cómica de la llegada irremediable a la vejez. Sir John Falstaff, hombre gordo, vanidoso y cobarde, es un personaje ficticio que aparece en varias obras teatrales de William Shakespeare (en *Enrique IV* es compañero del Príncipe Hal, el futuro Enrique V, quien es caprichoso e impredecible. Falstaff acaba metiendo al príncipe en problemas, y cuando éste llega a ser rey, le aleja de la corte como castigo). En el poema de Álvarez, el Rey –al ver a este hombre muchos años después– ya muy envejecido, no le reconoce:

> *Ya suenan las trompetas. Ya aparece el caballo.*
> *«Dios te proteja, dulce niño», grita*
> *Falstaff, saliendo de las filas*
> *de la multitud.*
> *«No te conozco, anciano»*
> *responde sin mirarle*
> *el Rey.*
> *Como Falstaff, los viejos sueños*
> *vienen de extraños días*
> *al que ahora somos, recordándole*
> *extrañas horas.*
> *O como él, quien ahora somos*
> *llama lejanos días.*
> *Mas siempre recibimos*
> *la misma seca*
> *respuesta. No*
> *te conozco, anciano (vv. 8-17).*

El poema va precedido de tres epígrafes, citas de Antonio de Undurraga («Súbdito de oscuras auroras boreales»), de Josep Carner («Yo soy un dios que, cercado de ruina, / poco a poco perdió juicio y sentido») y Luis de Góngora («Atalayas del ocaso»). El poema está dedicado a Arthur Rubinstein, el célebre pianista clásico polaco que se fue a vivir a Estados Unidos. Los epígrafes y la dedicación que sugiere una ambientación musical de fondo, junto con un título que alude a la famosa película norteamericana, *Gone With The Wind*, de 1939, van dándole al poema un sensación de juego que corresponde a la comicidad del texto poético en sí.

Un Poema como «Lo que el viento se llevó» tiene mucho que ver con las posmodernidad intertextual. Una de las premisas de posmodernidad literaria es que las obras creativas no tienen una autonomía aislada sino que son parte de un entramado de relaciones literarias. Para hablar del tema de la viejez, José María Álvarez utiliza un personaje de Shakespeare creando un juego entre su propio poema y el teatro del autor inglés. El poema juega con el tema de la originalidad. Si el autor toma de prestado tantas citas y dedica su poema a un músico, al mismo tiempo que todo el texto se basa en una recreación del teatro de Shakespeare, entonces la pregunta es: ¿dónde está la originalidad del poema? El poeta se ve a sí mismo más como un director de orquesta hábilmente tocando distintas partituras, que un autor presentando una idea original. Muy presente en la mentalidad del poeta está la idea de que toda creación literaria es un ejercicio de ficcionalización.

Para entender este tipo de intertextualidad es esencial tomar en cuenta las diferencias entre la modernidad y la posmodernidad. Un crítico como Paul Maltby comenta que frente a la creencia de que existe, en el universo literario del escritor, una visión del orden (por ejemplo, la poesía de T. S. Eliot, la mitología en James Joyce o la idea del orden en la poesía de Wallace Stevens), se contrapone la actitud posmoderna basada en el cuestionamiento irónico de estos mismos principios (521). Maltby alude a unas explicaciones de David Lodge, quien comenta que la modernidad, con toda su capacidad de experimentación, prometía al lector un mundo de significación. El creador posmoderno es mucho más escéptico y pone en tela de juicio la procedencia de los conceptos. La duda posmoderna se relaciona con la posibilidad de que las ideas no existan de verdad o que estén tomadas de prestado. Para ilustrar este concepto, Lodge utiliza una imagen de un cuento de Henry James, *The Figure in The Carpet* de 1896. Una referencia a este cuento aparece en la novela posmoderna de Donald Barthelme *Snow White* (1967) en donde un personaje pregunta sobre la imagen o la figura que está escondida detrás de la superficie de la alfombra. La respuesta que recibe es que posiblemente sólo exista la alfombra y no haya nada más detrás de la superficie (Maltby 521). Pere Gimferrer también hace referencia al cuento de James en la segunda parte de su poema «Celadas» en el libro *Els miralls,* poema anteriormente comentado en este estudio.

La actitud de Álvarez hacia el tema de la poética se basa en la idea de que no existe un significado transcendente en la obra literaria. La literatura es un ejercicio en el terreno de la cultura, es una interpretación de lo que es o ha sido la cultura. La perspectiva de Álvarez es hedonista, pero no es un tipo de escapismo lo que propone el escritor, sino más bien un hedonismo controlado, culto y elegante que a veces tiene un aire entre aristocrático e incluso dandy. Escribir es una manera de disfrutar de la belleza del arte. Más allá de esta creencia, no hay nada cierto salvo la necesidad de teatralizar la existencia humana y de vivirla con pasión. El poema «Sobre la fugacidad del tiempo» refleja esta actitud del escritor:

Cuando en la limpia noche llenes
tu copa, oh no te abandones
a la melancolía del recuerdo.
Ni pretendas —es inútil— retener el tiempo ido.
Entrega tu memoria a la boca de la ramera,
bebe con alegría y nada esperes,
pues la vida no es más que el tiempo de esa copa (vv. 1-7).

En *Museo de cera* aparece también el poema «Wuthering Heights» en donde se propone que la vida debe ser sencilla sin grandes actos heroicos. Aunque el texto parece ser el de un recluso que se aparta de la vida, la sabiduría consiste en saber renunciar para poder disfrutar de lo que realmente importa, los libros y el arte, que son las verdaderas joyas de la producción humana:

Y siéntete orgulloso
de que los pájaros aniden
en tu jardín, que ofrece paz.
Bajo sus árboles acude cada tarde
y contempla el crepúsculo. Da gracias
a tus dioses por esa
mágica estancia, por el día
vivido, por los libros, la música, los cuadros
que de la Muerte salvas (vv. 13-21).

Existe fuera del ámbito de paz, el peligro de la frustración. Álvarez alude a la protesta ciudadana, ya que el mundo real a veces se agita. El poeta vive en España, un país que ha tenido muchos cambios políticos, una nación desgastada por las guerras del pasado. Ante la posibilidad de la violencia, el autor indica que uno debe mantenerse sereno:

Y cuando piedra o bala rompan tus cristales,
no levantes los ojos
de aquello que te ocupa; más, perdidos
en el bellísimo paisaje de tus libros
elije la más noble
edición que poseas de TREASURE ISLAND.
Y mientras populacho y soldadesca
con fin de igual vileza se acuchillan,
tú lee sereno, escucha a Rubinstein
interpretando a Chopin. Acaricia
la frente de tu perro.
Y en la alta noche
encamina tus pasos hacia el sueño (vv. 22-34).

Este texto poético conecta con la cultura posmoderna a través de la anti-heroicidad. La actitud del escritor es estoica y se aparta de las grandes epopeyas de la modernidad y de las ideologías de salvación. A nivel literario estas grandes causas se pueden percibir en el idealismo de algunos personajes de las novelas de Hemingway como, por ejemplo, Robert Jordan, el protagonista de *For Whom The Bell Tolls* (1940), el norteamericano que lucha y muere en la Guerra Civil ayudando a las guerrillas republicanas.

Se sitúa también Álvarez muy lejos de la seriedad filosófica del pensamiento existencialista que había influido en los poetas sociales. Lo que se respira en su poesía es un individualismo sin obligaciones morales o políticas. Frente a la necesidad de creer en un ideal, se presenta el escepticismo de Álvarez basado en la absoluta libertad del individuo. Si el poeta no cree en las grandes causas, si no quiere creer, no pasa nada. Desde su residencia en el sur de España, desde la ciudad de Cartagena, José María Álvarez no participa como intelectual en el proceso político del país. Chris G. Perriam comenta que se mantuvo muy alejado del proceso de transición democrática del final de los setenta y los ochenta (201). Pero, a nivel cultural, el poeta ha estado siempre muy activo organizando congresos, uno de ellos el dedicado a Ezra Pound en Venecia en 1985. También es conocida su labor como traductor de poesía. Destaca su publicación en 1983 de la traducción de las poesías completas de Constantino Cavafis en la Editorial Hiperión, una traducción que el escritor hace del inglés al castellano.

Museo de cera es una obra ambiciosa. En la versión del 2002 tiene un total de 718 páginas. El libro es un conjunto de poemas intertextuales, cada uno como una figura en un museo de cera. A través del libro se contempla el espectáculo humano, un gigantesco teatro por donde pasan todos los posibles aspectos de la vida humana: la vejez, la pasión sexual, los viajes, el amor, la música, la pintura y las ciudades. El hilo conector es la intertextualidad y en la red de relaciones culturalistas se van confundiendo las vivencias del escritor con las citas literarias hasta crear una totalidad ambigua en donde el lector no sabe bien si la vida es como un libro, o si el mundo de los libros es como la vida.

Conviene hacer una digresión para comentar que, al estudiar a los poetas del 68, es importante tomar en cuenta no sólo lo que está ocurriendo en España sino contextualizar el tema en un marco geográfico y cultural más amplio. El pensamiento de Agnes Heller es importante al respecto. De tradición marxista, Heller cambia su postura ideológica orientándose hacia el liberalismo socialdemócrata. Después de haber vivido en Hungría, se exilia en 1977 y acabará viviendo en Estados Unidos en donde será profesora de filosofía en la *New School* de Nueva York. Heller explica que después de la Segunda Guerra Mundial existen dos generaciones culturales (500). La primera corresponde a una época que va desde el final de la guerra hasta el comienzo de los cincuenta y está muy influida por el desencanto producido por la experiencia de haber visto la perversion del totalitarismo en Europa. Esta generación se interesa por en el pensamiento existencialista representado por Jean-Paul Sartre y su reivindicación de la libertad «existencial» frente a la tiranía de sistemas políticamente totalitarios como el nazismo. La segunda promoción es la de los años sesenta, la «alienada». Ésta creció durante el *boom económico* de los cincuenta pero, al llegar a la siguiente década, se siente desilusionada con el conformismo burgués, resultado de la industrialización y del consumismo. La sensación de vacío ante el nuevo materialismo económico llevará a buscar nuevas maneras de entender el concepto de la libertad. La frustración se convierte en protesta y estalla violentamente en París en 1968 con las huelgas, las manifestaciones estudiantiles y los enfrentamientos en la calle con la policía. La posibilidad de la revolución se evapora sin embargo cuando el único resultado es la llamada a nuevas elecciones en Francia en junio de ese mismo año, unas elecciones que vuelven a situar al partido gaulista en el poder.

Explica Heller que la posmodernidad nace como teoría social en 1968. La protesta estudiantil no produce la revolución y la resultante desilusión trae consigo una nueva actitud basada en el que todo vale, todo tiene su legitimación (503). Uno puede rebelarse contra lo que uno quiera pero debe también aceptar que la otra persona también puede ir en contra de lo que quiera, lo cual explica el pluralismo de opciones después del final de los sesenta. En la posmodernidad se borran las diferencias ideológicas y se acepta la diversidad. Se puede ser conservador o izquierdista, liberal o revolucionario, todo es posible.

En el caso específico de la poesía en la España de los sesenta, es fundamental tomar en cuenta que el milagro económico produce una prosperidad que multiplica la oferta cultural. Julia Barella comenta que los novísimos son la primera generación de poetas nacidos después de la Guerra Civil que comienzan a escribir en una sociedad de consumo (13). Esta sociedad es tradicionalmente católica pero busca el ocio cultural a través de la lectura, el cine, la televisión, el jazz y el pop-rock. Había sido relajada *La ley de Prensa e imprenta* de 1966, ideada por el ministro Manuel Fraga Iribarne, pero se mantenía el control sobre la literatura en casos que muy claramente iban en contra del Régimen. Después de la publicación en Méjico de *Señas de identidad* de Juan Goytisolo, las posteriores obras del novelista fueron prohibidas. Con respecto al ambiente de protesta, hay disturbios y manifestaciones –como la huelga de estudiantes conocida como la *Caputxinada* de 1966 en la universidad de Barcelona– pero nunca se llega a la envergadura del caos de París. Barella comenta que los poetas del 68 reivindican «todo lo que durante las últimas décadas se había rechazado: el decadentismo, el esteticismo, el lujoso léxico modernista, el estilo de la vanguardia, el malditismo...» (13).

En 1967 un joven poeta de Valencia que tenía tan sólo veinte años, Guillermo Carnero, publica un libro titulado *Dibujo de la muerte*, que se convertiría en uno de los poemarios más importantes de la época. El culturalismo de Carnero es distinto del de José María Álvarez. Para el autor de *Museo de cera* la referencia culturalista apoya los aspectos vivenciales del autor. En Carnero esta dimensión vivencial no tiene la misma importancia y el poema tiende a basarse mucho más en la referencia culturalista que adquiere una cierta autonomía o independencia. Ignacio Javier López explica que para Carnero «tienen el mismo valor una experiencia vivida y una experiencia artística» (39). Es por eso que muchos de sus poemas comienzan *in medias res* sin que haya un preámbulo. Pero es a través de la obra, objeto o personaje aludido, que Carnero consigue un comentario general sobre la vida. El personaje histórico o literario, por ejemplo, funciona como correlato del autor y como ejemplificación del asunto que se quiere plasmar en el poema.

El tema central de *Dibujo de la muerte* es la búsqueda de la belleza, una belleza que el autor encuentra en el universo de la alta cultura. Pero –como se insinúa en el título del libro– la muerte está siempre presente en la pasión humana por lo estético. Se persigue la belleza desde el reconocimiento de la mortalidad. «Esta belleza recreada en el libro, descrita a través de obras de arte que han sido más duraderas que sus creadores, tiene de este modo una capacidad modesta de concretar los afanes humanos», indica Ignacio Javier López (34-35). Los poemas de Carnero son *dibujos* de una muerte que misteriosamente está más allá de la vida pero que actúa sobre la vida. Los textos son estampas que, a primera vista, parecen desconectadas pero que al final están inteligentemente organizadas alrededor de un concepto unificador. *Dibujo de la muerte* representa en la generación de 1968 el lado esteticista de una nueva corriente que es venecianista, decadentista y culturalista. Carnero se venía a acoplar en 1967 al cambio estético inaugurado por Pere Gimferrer un año antes con la publicación de *Arde el mar*. Lo que más sorprende de *Dibujo de la muerte* –si se toma en cuenta la sorprendente juventud del autro– es la erudición. La capacidad que tiene el joven autor de escribir poemas literarios con toda una gama enciclopédica de conocimientos de la historia de la cultura, es extraordinaria. Se incorporan referencias, por ejemplo, a novelas como *Lady Chatterley's Lover* de D. H. Lawrence, publicada por primera vez en 1928. El poema se titula «Primer día de verano en Wragby Hall». También aparecen novelas del siglo XIX como *La cartuja de Parma* de Stendhal, publicada en 1839, en la composición «Panorama desde la Tour Farnése».

Uno de los poemas del libro es «Muerte en Venecia» Carnero alude a dos obras narrativas del novelista alemán, Thomas Mann (1875-1955). Una de las obras es *Tristán*, cuento publicado en 1903 y la otra es *Muerte en Venecia*, una novela corta publicada en 1912 bajo el título *Der Tod in Venedig*. «Muerte en Venecia» es una composición compleja que representa una de las características de la poética de Carnero: el hecho de que el lector tiene que esforzarse en conocer la referencia culturalista. Leer un poema de Carnero no es posible sin conocer lo que se cita. Es muy posible interpretar esta actitud del poeta como la de una persona elitista, altiva y arrogante, alejada de la realidad común del ciudadano. Pero es importante entender que las referencias son una manera de aperturismo cultural.

«Muerte en Venecia» comienza con referencias al personaje Detlev Spinell, del cuento *Tristán*, un hombre que está escribiendo una novela con temas afines al Modernismo: ambientes lujosos, lugares refinados y objetos preciosos. La novela tiene lugar en un sanatorio y Spinell es un artista nacido en Polonia cuya personalidad acusa un esnobismo y un desprecio por la vida social que sólo cambia cuando éste, ante el espectáculo de la belleza, se transforma. Su manera de hablar y de comportarse es afectada. Spinell ha escrito un cuento basado en la elegancia de la decoración de lugares suntuosos. Su vida es la del artista que tiene que separarse de la realidad humana para crear su obra estética. El alejamiento de la sociedad implica un rechazo de la vida real, lo cual le lleva al artista románticamente hacia la nada:

Aquí debajo,
Detlev Spinell, de la muerte, al fondo
de las playas que rozan las palomas
de sus dedos, debajo de la muerte,
ya has olvidado el nombre de los bancos
de madera, la grava del camino,
las sombrillas de seda, los rugidos
de un presentido mar, mira la horrible
presencia de las cosas, los zarpazos
del sol, rugen las flores, se despliegan
los dientes de la noche, arriba sombra,
el martillo del mar, amor, oh noche
debajo de la muerte! (vv. 23-35).

En la mitad del poema hay un cambio y la referencia cultural es a la novela corta *Muerte en Venecia*. Carnero sin embargo no aclara este cambio en el poema y deja que el lector averigüe la desviación. Se sigue aludiendo a Spinell, aunque ahora el poema alude a otro personaje, Gustav von Aschenbach, un famoso escritor de unos cincuenta años que decide ir de vacaciones a Venecia. Gustav von Aschenbach se hospeda en un gran hotel en la isla del Lido y allí se enamorará a escondidas de un bello chico joven cuyo nombre es Tadzio. Ignorando lo avisos de que llega una epidemia del cólera, Aschenbach se queda en Venecia dejándose llevar por su escondida pasión homosexual. El personaje muere en la playa de la zona del Lido comiendo unas fresas sin establecer contacto con Tadzio. La novela sobre la ciudad italiana de Thomas Mann termina trágicamente y Carnero recoge en el poema este destino inevitable consecuencia de una pasión amorosa. Los siguientes versos describen el viaje de Aschenbach en góndola mientras contempla la belleza arquitectónica de la ciudad, un viaje sobre el agua que tiene la premonición de ser un transcurrir hacia la muerte:

> *Una vez más el silencioso resbalar de la góndola, casi*
> *para tocar hacia la sangre un ramillete de frío,*
> *para mirar al fondo de los derrumbaderos de la noche.*
> *Como tantas otras veces, hacia la laguna,*
> *despacio, desde ese ligero puñado de fresas,*
> *tantas y tantas veces por entre los leones de piedra*
> *y las columnillas transparentes de mármol, su delgado racimo de sangre,*
> *tantas veces entre el aire mordido por las gárgolas*
> *en los rincones de las loggias, en los ecos*
> *cubiertos de polvo en el mojado silencio de las fuentes (vv. 74-83).*

La ciudad de Venecia tiene la función en el poemario de Carnero de ser un lugar de exquisita hermosura. Si *Dibujo de la muerte* es un manifiesto esteticista en el panorama poético de los sesenta, la ciudad de la laguna encarna perfectamente el gusto refinado y sofisticado que caracteriza esta primera época en la poesía del grupo del 68.

La crisis de la mediana edad que está sufriendo Gustav von Aschenbach le lleva al delirio. Se deja llevar por la belleza del lugar y una pasión erótica que, al final, desgraciadamente, acaba con su vida. Carnero establece una correspondencia entre belleza y muerte en versos en donde el personaje se encuentra en la playa, cerca del joven Tadzio, frente a la inmensidad de un mar que ya es símbolo del final:

rozar la mano ligeramente sobre las aguas
para tocar con los dedos la punta de otros dedos, no,
allá a lo lejos es la muerte acaso,
tan sólo es un racimo de fresas salvajes, casi puedo
decirte cómo iba buscando el rostro de las cosas desde el brocal de los pozos,
quiero descender blandamente hacia la más alta noche (vv. 94-99).

Guillermo Carnero publicó el poema en la edición del libro de 1967 y es, por lo tanto, anterior al estreno de 1971 de la película que dirigió Luchino Visconti (López 116). La originalidad de Carnero se debe a la incorporación de las dos obras narrativas. Detlev Spinell acaba convirtiéndose en el protagonista de *Muerte en Venecia* porque su destino es perseguir la belleza de la misma manera que Aschenbach persigue una quimera.

En «Muerte en Venecia» se pueden observar una serie de características que también están presentes en el libro en su totalidad. Ignacio Javier López indica que en *Dibujo de la muerte* la «alternancia entre belleza y muerte crea interesantes tensiones en el libro, destacando la imagen artística en su relación con la vivencia» (39). El esteticismo de Carnero es una prueba más en la generación de la necesidad de superar las directrices del realismo social de los cincuenta. La ciudad de Venecia –como mito estético– se convierte en la bandera de un nuevo grupo que quiere dignificar la poesía orientándola hacia lo artístico.

En *Frames of Referents: The Postmodern Poetry of Guillermo Carnero*, Jill Kruger-Robbins explica ciertos rasgos generales de la posmodernidad. La autora acentúa la actitud hacia la interpretación de la realidad, interpretación que se percibe como una construcción social y no como el reflejo de una verdad absoluta (20). Cualquier creencia sobre la cual se construye una visión idealizada revierte forzosamente al relativismo. Los determinantes culturales son fundamentales ya que éstos han moldeado la actitud y la formación del autor. La obra posmoderna está marcada por un cuestionamiento de las creencias que actúan *de manera subjetiva* en el proceso de la creación. La autora explica, alargando sus reflexiones, que el creador, en sí, es también una «creación», un sujeto moldeado por el entorno social, histórico y artístico (50). Dicho de otra manera, el escritor es una invención cultural.

Kruger-Robbins analiza un libro como *Dibujo de la muerte* aclarando que los temas –la búsqueda de la belleza exquisita y la muerte como telón de fondo– provienen de la historia de la cultura. Este punto de vista peculiar ha determinado la sensibilidad estética de Guillermo Carnero. El joven poeta es, por lo tanto, el resultado de una cierta interpretación de lo que es cultura. Ésta, a su vez, está muy determinada por las transformaciones generales que están actuando, como paisaje de fondo, en la sociedad española.

Es evidente que en Carnero es fundamental el uso de correlatos objetivos –una situación, un objeto, un conjunto de objetos o una serie de acontecimientos–. Éstos sirven para representar lo que el autor quiere expresar. Ignacio Javier López indica que la utilización de este recurso sigue la tradición iniciada por T.S. Eliot y Ezra Pound en la modernidad, y en España por algunos de los representantes del grupo del 27 como Vicente Aleixandre y Luis Cernuda (37).

Otro poema en *Dibujo de la muerte* es «Oscar Wilde en París». Carnero utiliza la figura del escritor irlandés para reivindicar el esteticismo. Oscar Wilde (1854-1900) publicó *El retrato de Dorian Gray* en 1890. En Londres se convirtió en uno de los personajes más famosos de la época, conocido por su ingenio, su personalidad extravagante y manera vistosa de vestir. Apoyó la filosofía esteticista, cuyos representantes habían sido profesores suyos, John Ruskin y Walter Pater. Oscar Wilde estuvo casado pero cambió de orientación sexual. En 1891 tuvo estuvo relacionado con un joven estudiante de Oxford, Alfred Douglas. Unos años después, en 1895, en la cima de su fama literaria, el escritor estuvo envuelto en un proceso judicial que le llevó a ser condenado a prisión por indecencia y por haber violado la moralidad. Estuvo encarcelado dos años, primero en Pentonville Prison y luego en Wandsworth Prison. Forzado a trabajos duros y a humillaciones, su salud empeoró. Acostumbrado a vivir bien, la estancia en la cárcel fue una maldición. Al salir en 1897 fue a París para no volver nunca más a Inglaterra o a Irlanda. En la capital francesa murió en la más absoluta pobreza el 30 de noviembre de 1900. A Carnero le interesa esta época final de su vida en Francia en la que el autor recuerda nostálgicamente una vida dedicada a cultivar la cultura y a amar ambientes refinados:

> *Un hombre puede, a lo sumo unas cuantas veces,*
> *Arriesgar el silencio de su jardín cerrado.*
> *Pero decid, Milady, si no estabais maravillosa preparando el clambake*
> *con aquella guirnalda de hojas de fresa!*
> *Las porcelanas en los pedestales*
> *y tantísimas luces y brocados*
> *para crear una ilusión de vida (vv. 20-26).*

La vida del autor ha cambiado y en París, desde una habitación cerrada al mundo, Wilde indica que no quiere recordar todo un pasado que le trae ansiedad. Sus palabras son las de un hombre cuya vida se ha transformado y que va camino de una decadencia en la que de vez en cuando sólo los recuerdos pueden consolar, pero que al final también aumentan la sensación de desposesión:

No, prefiero no veros, porque el aire nocturno.
agitando las sedas, desordenando los pétalos caídos
y haciendo resonar los cascabeles,
me entregará el perfume de las flores, que renacen y mueren en la sombra,
y el ansia y el deseo, y el probable dolor y vergüenza
no valen el sutil perfume de las rosas
en esta habitación siempre cerrada (vv. 27-33).

El texto dedicado a Wilde tiene la función de subrayar el interés que tiene Carnero en el decadentismo. La tendencia origina en Francia en las dos últimas décadas del siglo XIX y se basa en una actitud escapista buscando la belleza sin concesiones. La estética decandentista marca la obra de escritores europeos como Rainer Maria Rilke, Constantino Cavafis, Marcel Proust, Paul Valéry y James Joyce, y en España sobresale la figura de Ramón María del Valle-Inclán. En *Dibujo de la muerte* las referencias al decandentismo sirven para poner de relieve la idea de que el arte es más sublime y más perdurable que la vida humana. Existe en este poema y en el que se ha comentado anteriormente, sobre la Venecia de Thomas Mann, una tendencia a exagerar la pasión por el arte. Es por eso que Carnero llena el libro con imágenes y referencias que llegan a un cierto extremo, en una especie de invasión estética o inundación de cultura.

Conviene comentar el hecho de que Oscar Wilde, como indica Ignacio Javier López, no tuvo entre los escritores de la generación del 98 una buena acogida y Unamuno le acusa de ser un escritor superficial. López explica que, para los poetas del 68, este escritor tiene una valoración muy elevada:

> Reaccionando en contra de esta rigidez, de fuerte contenido moral, que ha sido habitual en la tradición castiza, los novísimos reivindicaron la figura de Wilde; Gimferrer dedicó al autor angloir-landés el poema «Pequeño y triste petirrojo» (*Arde el mar*) y Carne-ro éste. En ambos caso se trata de reivindicar un autor minoritario, culto y refinado, reivindicación que supone una actitud moral im-plícita de diferente signo a la aplicada por el realismo anterior para juzgar negativamente todas las formas de refinamiento (133).

Dibujo de la muerte es un libro que enlaza con la posmodernidad a través de la intertextualidad. Para el creador posmoderno cualquier visión de la realidad depende del marco que se le ponga. Carnero, en su visión culturalista, decide situar los temas –la belleza y la muerte– en el marco de la intertextualidad cultural. Pero lo esencial no es ci-tar la historia de la cultura sino la manera cómo se cita. El concepto del marco, el de enmarcar la referencia cultural, es –según explica Jill Kruger-Robbins en su libro– fundamental en este escritor.

Volviendo al poema sobre Wilde, conviene mencionar que a Carnero no le interesa toda la vida del escritor sino esa etapa final en París, en donde, pobre y debilitado, el autor piensa en su pasado. Carnero conoce bien la obra de Wilde ya que en el poema hay refe-rencias muy detalladas como, por ejemplo, la del séptimo verso: «Un *bouquet* de violetas de Parma». Explica Ignacio Javier López que es una referencia al protagonista de *El retrato de Dorian Gray* que lleva las flores en el ojal en el capítulo XV (133). El deseo de incorporar detalles tan concretos realza la evocación de Wilde. La capacidad que tiene Carnero de mimetizar el discurso de Wilde es asombrosa. Es una expresividad romántica y nostálgica –salpicada con elegantes expresiones en francés como «bouquet», «corbeille», «boudoir» o enteros versos como «Oh, rien de plus beau que les printemps anglais»–. Hay ciertas palabras inglesas incorporadas como «clambake». El léxico es uno de los mayores logros del poema. Es esencial que el personaje histórico, al que se alude en el poema, tenga un fuerte grado de verosimilitud en su voz, en su manera de presentarse. En este caso, se puede decir que el discurso es el poema.

En un artículo titulado «Guillermo Carnero: el hedonismo de la inteligencia», publicado en la revista *Turia*, Manuel Neila ofrece una serie de observaciones comparando la poesía de Carnero con las promociones de los cuarenta y cincuenta. Neila indica que para Carnero la obra de arte no es, a diferencia de lo que pensaban los poetas sociales, una forma de salvar la vida. Pero también existen diferencias con la poesía del grupo de los cincuenta. Carnero no utiliza el típico *yo directo* que lleva a las reflexiones que se advierten en la llamada *poesía del conocimiento* de esta generación:

> A diferencia de los poetas realistas, pertenecientes a la primera generación de posguerra, Carnero se resiste a considerar la obra de arte como salvación de la vida, al tiempo que proclama la autonomía de la obra artística. A diferencia de los poetas del conocimiento, pertenecientes a la segunda generación de posguerra, rechaza la expresión directa del yo mediante fórmulas confesionales, a la vez que recurre a procedimientos de expresión indirectos, como el correlato objetivo o los materiales procedentes del museo imaginario de la cultura (27).

CAPÍTULO 5

CULTURA DE MASAS Y CONTRACULTURA

E N *Postmodern Literature,* Ian Gregson explica que la posmodernidad tiende a centrarse en el lenguaje y la textualidad (62). Gregson ofrece una serie de comentarios también sobre el tema del género indicando que el autor posmoderno suele adoptar un cierto género que le es familiar al lector, que es reconocible. El creador encamina este género de manera sofisticada, deconstruyéndolo e incorporando a veces temas filosóficos que no tienen nada que ver con ese género en sí. Para estudiar este tema Gregson acude a unos comentarios de Jacques Derrida, quien reflexiona sobre el carácter paradójico del concepto de *género*. Derrida explica que tan pronto como se pronuncia esa palabra y se intenta comprender su significado, uno está ante un límite, una frontera. Y cuando se establece esa línea divisoria, lo normativo comienza a actuar. Se establecen reglas que autorizan y que prohíben, lo cual resulta un tanto contradictorio ya que se establece una nueva manera de clasificar que, al mismo tiempo, tiende a excluir y a prohibir. Es, por lo tanto, natural que el creador posmoderno tienda a subvertir estas normas. Al subvertirlas declara la originalidad de su propia creación logrando transgredir esas mismas normas que está usando. Esta actividad produce una literatura creativa e innovadora en donde, curiosamente, la imitación y la transgresión actúan conjuntamente.

Estas observaciones críticas son útiles al acercarse a la poesía del grupo de los novísimos ya que en ellos existe la tendencia a trabajar con la idea del género. Una poesía culturalista se basa en lo intertextual, lo cual es una manera de establecer relaciones entre diversos géneros. En el caso de Leopoldo María Panero (1948-2014), un género que tiene una presencia importante es la literatura infantil. En *Así se fundó Carnaby Street* (1970) el poeta incorpora un poema sobre Peter Pan basado en la obra de teatro que escribió el autor escocés James Mathew Barrie (1860-1937) y que se estrenó por primera en 1904 bajo el título *Peter Pan, or The Boy Who Wouldn't Grow Up*. En 1911 Barrie publicaría una novela sobre este tema, *Peter and Wendy*. Walt Disney inmortalizó la obra de Barrie presentando una versión en película de dibujos animados que logró ser uno de los grandes éxitos en la carrera del productor norteamericano.

El poema de Panero se titula «Unas palabras para Peter Pan» y comienza con una cita en forma de epígrafe de la obra de Barrie: «No puedo ya ir contigo, Peter. He olvidado volar, y Wendy se levantó y encendió la luz: él lanzó un grito de dolor...». El poema es sobre el conflicto que existe entre la imaginación –representada por el poder mágico de Peter Pan– y realidad en la que viven los tres niños de la casa. La imposibilidad de volar es la inhabilidad de poder seguir viviendo en un mundo de fantasía. Wendy Darling es uno de los personajes más importantes de la obra de Barrie. La niña está en una edad transitoria, camino de ser una muchacha, y le gusta contar cuentos y desprecia el ambiente de los adultos, ya que su padre, el señor Darling, es serio y ceremonial. El temperamento del padre, dado a la preocupación y la ira, le asusta. El deseo Wendy es llegar a un estado en la que no se hace mayor. Este deseo es complacido por Peter Pan quien la rapta y la lleva, con sus hermanos, a la Isla-Que-No-Existe a vivir un mundo de aventuras. El poema se sitúa en el momento triste en el que todo vuelve a la normalidad y la fantasía termina:

> Las pieles de animales, el polvo mágico que necesitaba de la complicidad de un pensamiento, es puesto tras de la pizarra, en una habitación para ellos destinada en el nº 14 de una calle de Londres, en una habitación cuya luz ahora nadie enciende. Usted lleva razón, señor Darling, Peter Pan no existe, pero sí Wendy, Jane, Margaret y los Niños Extraviados. No hay nada detrás del espejo, tranquilícese, señor Darling, todo estaba previsto, todos ellos acudirán puntualmente a las cinco, nadie faltará a la mesa.

La voz tranquiliza al padre diciéndole que Peter Pan no existe. Pero, al mismo tiempo, se sugiere en el poema que el niño volador sigue teniendo una presencia en la imaginación de los niños:

> Campanilla necesita a Wendy, las Sirenas a Jane, los Piratas a Margaret. Peter Pan no existe. «Peter Pan, ¿no lo sabías? Mi nombre es Wendy Darling». El río dejó hace tiempo la verde llanura, pero sigue su curso. Conocer el Sur, las Islas, nos ayudará, nos servirá de algo al fin y al cabo, durante el resto de la semana. Wendy, Wendy Darling. Deje ya de retorcerse el bigote, señor Darling, Peter Pan no es más que un nombre, un nombre más para pronunciar a solas, con voz queda, en la habitación a oscuras. Deje ya de retorcerse el bigote, todo quedará en unas lágrimas, en un sollozo apagado por la noche: todo está en orden, tranquilícese, señor Darling.

Lo curioso del texto poético –escrito sin versos e imitando la forma narrativa y breve de un cuento– es que no es sobre las aventuras de Peter Pan sino sobre el mundo ordenado y burgués del señor Darling que se ve de repente amenazado por una ficción. El mundo de orden es el de la época victoriana inglesa del final del siglo XIX. La voz que tranquiliza al patriarca de la familia revela también indirectamente la vulnerabilidad del sistema social.

El poema de Panero enlaza con la posmodernidad a través de la descreencia en sistemas morales que son rígidos y que llegan a excluir otras maneras de pensar. La sociedad victoriana no es un sistema basado en verdades absolutas sino una construcción social legitimada desde una postura moral e ideológica. Panero cuestiona si verdaderamente es posible erradicar la imaginación o si ésta sobrevive precisamente porque el sistema no es tan inquebrantable como parece. Ian Gregson comenta que existen tres tipos de géneros que representan adecuadamente la cultura literaria posmoderna: la ciencia ficción, la novela detectivesca y el cuento de hadas (63). El crítico estudia el cuento de hadas por su capacidad de magia y por su estructural oral y narrativa. Estas observaciones globales son útiles al estudiar un autor como Panero que utiliza el cuento de hadas de manera subversiva.

El poeta dedica otro poema a un famoso personaje de la literatura infantil, Blancanieves, una figura que tiene una presencia importante en la obra narrativa de los hermanos Grimm, los dos académicos y escritores alemanes cuya labor fue recoger el folclore infantil publicando en 1812 una importante colección de cuentos. En el cuento tradicional de Blancanieves, la reina vanidosa le pregunta al espejo quién es la mujer más guapa de su reino y el espejo responde que aunque ella es hermosa es todavía más hermosa la doncella Blancanieves. La reina celosa quiere acabar con la muchacha, que vive con los siete enanitos, pero ésta es liberada al final del cuento por un príncipe que se casa con ella. Todo se arregla y el matrimonio del príncipe con Blancanieves augura un bienestar para el reino.

El poema de Panero lleva por titulo «Blancanieves se despide de los siete enanos» y aparece también en *Así se fundó Carnaby Street*. El poeta, sin embargo, cambia la trama del cuento. En vez de contar un final romántico y feliz, el desenlace alude al hecho de que el bosque encantado está siendo cortado y el paraíso feliz en donde viven los enanos está en peligro:

> Prometo escribiros, pañuelos que se pierden en el horizonte, risas que palidecen, rostros que caen sin peso sobre la hierba húmeda, donde las arañas tejen ahora sus azules telas. En la casa del bosque crujen, de noche, las viejas maderas, el viento agita raídos cortinajes, entra sólo la luna a través de las grietas. Los espejos silenciosos, ahora, qué grotescos, envenenados peines, manzanas, maleficios, qué olor a cerrado, ahora, qué grotescos. Os echaré de menos, nunca os olvidaré. Pañuelos que se pierden en el horizonte. A lo lejos se oyen golpes secos, uno tras otro los árboles se derrumban. Está en venta el jardín de los cerezos.

La última parte alude a una obra de teatro, *El jardín de los cerezos*, del dramaturgo ruso Antón Chéjov presentada por primera vez en Moscú en 1904. La obra es una representación del declive económico de la aristocracia rusa al final del siglo XIX. La historia es sobre una familia aristocrática que tiene problemas financieros. La hacienda se está subastando para cubrir la deuda de la hipoteca, y el jardín de árboles de cerezas se va a perder. Al incorporar esta sutil relación intertextual, sacada de la obra de Chéjov y acoplada a su propia versión del cuento, que a su vez se basa en el cuento de los hermanos Grimm, lo que está logrando Panero es parodiar el cuento de hadas en donde todo acaba bien. El mundo verdadero es mucho más inestable de lo que los cuentos quieren hacer creer. El poeta sugiere que el final feliz del cuento clásico es una construcción social, moral y cultural. La Blancanieves de Panero está viendo cómo el bosque está siendo talado. La tala de árboles es una metáfora de cómo el paso al mundo de los adultos es una pérdida de la inocencia infantil, y una entrada en un mundo completamente diferente, a menudo hostil y competitivo. El mágico bosque de Blancanieves se convierte en *el jardín de los cerezos* de Chéjov, un terreno en venta. Panero consigue la parodia inyectando en el cuento este elemento de inestabilidad. Lo que se nos ha dicho en la infancia lleva, luego en la vida, al desengaño.

Los dos poemas −el de Peter Pan y el de Blancanieves− son textos dirigidos a un público adulto, no a los niños, que no son verdaderamente los que leerían un libro como *Así se fundó Carnaby Street*. La innovación se basa en dirigir la atención del lector a cómo se construye una identidad cultural. Los mitos de la infancia contribuyen a formar esta identidad. Otro aspecto que se debe comentar es la manera cómo estos textos borran las fronteras entre la cultura alta y la popular.

Christopher Butler es un crítico que explica de manera muy didáctica las distintas facetas de la posmodernidad. Para Butler el arte posmoderno tiende a ofrecer resistencia a los metarelatos de la modernidad y a la actitud de que el arte elevado es el centro de autoridad (64). En la posmodernidad no existe la preocupación por las diferencias entre lo culto y lo popular. Basándose en comentarios del filósofo Jean Francois Lyotard, Butler comenta que el papel del artista posmoderno es el de una persona que pone en cuestión los principios legitimadores de la modernidad. Cuando se entienden las reglas de operación del proceso de la legitimación se comprende que son maneras de engañar, seducir y afirmar, lo cual es una demostración de que las premisas fundadoras no son verdades absolutas (62). En la modernidad se defendía la autonomía del arte y se despreciaba la cultura popular. Por el contrario, el creador posmoderno desdeña este tipo de elitismo y en sus obras combina lo culto y lo popular produciendo un tipo de arte irónico y paródico que no tiene problemas en incorporar lo *kitsch*.

Es imposible entender la poesía de Leopoldo María Panero sin tomar en cuenta los movimientos contraculturales de los años sesenta. En este escritor hay una fascinación, por ejemplo, con el malditismo. Panero es el poeta iconoclasta del grupo sesentayochista. Su actitud es ir en contra de cualquier visión canónica de la realidad. Su postura es contra el *establishment*. Hay referencias en su poesía, por ejemplo, a temas tan polémicos como la droga, la homosexualidad y la marginación.

En el título del libro, *Así se fundó Carnaby Street*, Panero hace un homenaje a la calle mítica de la zona de Soho en Londres. En los años sesenta se convirtió en uno de los lugares más de moda para la música y la cultura *hippy*. Varios grupos musicales como *The Who* y los *Rolling Stones* actuaron en locales de este barrio londinense que era el lugar para la música en los algunos famosos bares underground como, por ejemplo, *Roaring Twenties*. La calle era un recinto comercial llena de boutiques de ropa y se convirtió en parte de la cultura de la movida londinense o la zona que se llamaba *Swinging London*.

Así se fundó Carnaby Street está compuesto por varias secciones. Una de ellas se titula *Tarzán traicionado*, homenaje a la novela que publicó en 1914 Edgar Rice Burroughs, *Tarzan of the Apes*. Panero ya había publicado este conjunto de cuatro poemas en 1967, tres años antes de la publicación del libro. En esta sección del poemario, *Tarzán traicionado*, aparecen los siguientes textos: «Unas palabras para Peter Pan», «Blancanieves se despide de los siete enanos», «Las brujas», «Al oeste de Greenwich» y «Deseo de ser piel roja».

El poema «Deseo de ser piel roja» alude al mundo de los indios en Norteamérica con referencias a Sitting Bull (1831-1890), el jefe de los Sioux que resistió el avance del ejército norteamericano. Logró una conocida victoria en la batalla de Little Bighorn en 1876 en la parte este del estado de Montana. En la batalla murió el comandante George Armstrong Custer y su ejército perdió 268 hombres. En 1881 el jefe sagrado indio por fin se rindió ante las tropas norteamericanas. En el poema se alude a la muerte de Sitting Bull en 1890 cuando esté y su gente resiste la orden de arresto del gobierno. Lo que está haciendo Panero en el texto es desmitificar uno de los grandes logros del país, la expansión territorial llamada *Manifest Destiny*. Con la muerte del rey de los Sioux desaparece una civilización que fue dueña de estas tierras:

> *La llanura infinita y el cielo su reflejo.*
> *Deseo de ser piel roja.*
> *A las ciudades sin aire llega a veces sin ruido*
> *el relincho de un onagro o el trotar de un bisonte.*
> *Deseo de ser piel roja.*
> *Sitting Bull ha muerto: no hay tambores*
> *que anuncien su llegada a las Grandes Praderas (vv. 1-7).*

Figuras como Sitting Bull, igual que los *cowboys*, son héroes que abundan en las películas de Hollywood, especialmente las de John Ford, y también en los tebeos, los cómics y las novelas del oeste del novelista estadounidense Zane Grey (1872-1939). Pero si el auténtico héroe del western es casi siempre el cowboy, Panero decide escribir sobre el indio, el que poco a poco es derrotado y marginado. El humor del poeta sirve para revelar las injusticias y las atrocidades sobre las cuales se cimentó la expansión terrestre de Estados Unidos. La muerte de jefe de los Sioux es una metáfora de la aniquilación de una civilización:

> *Deseo de ser piel roja.*
> *En la Reservación no anida*
> *serpiente de cascabel, sino abandono.*
> *DESEO DE SER PIEL ROJA.*
> *(Sitting Bull ha muerto, los tambores*
> *lo gritan sin esperar respuesta) (vv. 19-24).*

El uso de la anáfora repitiendo el apasionado y romántico deseo de ser como los indios, de no querer claudicar, resalta el elemento de comicidad en el poema. La comicidad se debe al anhelo subconsciente de ser como los indios de Norteamérica y de huir de la urbanización, la industrialización y la aglomeración, consecuencias de la vida en contextos metropolitanos. El indio vivía en la naturaleza una libertad que ahora no existe.

Andrew P. Debicki resalta la importancia de *Así se fundó Carnaby Street* y también de *Teoría*, el libro de poemas que publica Panero en 1971. El crítico norteamericano explica que Panero expresa la alienación que siente, resultado de su desinterés en el orden burgués de la clase media española (153). También indica el crítico la importancia que tiene en Panero la cultura de masas y las referencias al cine, a las fábulas, a la novela negra y a la historia moderna. Debicki destaca cómo el poeta invierte temas tradicionales reduciéndolos a caricaturas y a viñetas del cómic. Esta manera de parodiar tiene correspondencias en el *arte pop,* el movimiento artístico que comienza en Gran Bretaña en los años cincuenta y que llega a aposentarse en Estados Unidos al final de la década. Este tipo de arte incorpora imágenes que provienen de la cultura popular y de sectores como la publicidad y la televisión. En Estados Unidos algunos representantes de esta tendencia artística son Roy Lichtenstein y Andy Warhol. Cabe mencionar que en muchos poemas de *Así se fundó Carnaby Street,* Panero experimenta con los aspectos formales, ubicando el poema en un marco narrativo. Dentro del marco, utiliza un lenguaje lírico en donde se mezcla la expresividad culta con el lenguaje coloquial.

Cualquier discusión sobre temas como la cultura de masas y la contracultura en los poetas del 68 tiene que tomar en cuenta la importancia de la cultura *camp.* En *Nueve novísimos poetas españoles*, Castellet destaca esta moda que surge como manera de oponerse a «la actitud maniquea de la generación anterior» (31). El crítico comenta que los nuevos mitos de la cultura camp supusieron una sana limpieza de conceptos religiosos excesivamente dogmáticos en la moral católica española, «una oleada de aire puro en nuestro mundo cultural» (31). Como indica Susan Sontag –a la que alude Castellet en la introducción– la moda *camp* quiere deleitar, no enjuiciar. En 1964 Sontag publicó un ensayo titulado *Notes on Camp* cuyo objetivo era ampliar la definición de la obra de arte para incluir temas populares, absurdos y bromistas, así como la cultura *kitsch.*

En *Así se fundó Carnaby Street* hay un poema cuyo título es «Dumbo», un homenaje a la película animada de Walt Disney de 1941. El elefante pequeño, cuyas grandes orejas son objeto de burla por los otros elefantes de la tribu, de repente se convierte en la estrella del circo al usar sus humillantes orejas para poder volar. Los espectadores circenses quedan maravillados y Dumbo logra vengarse de las burlas:

> *El elefante se elevó en el aire*
> *ante el asombro*
> *de todos los presentes (vv. 1-3).*

Lo que queda claro en el poema es la necesidad de encontrar nuevos mitos culturales que sean una clara demostración de que la época cultural ha cambiado.

Leopoldo María Panero pasó gran parte de su vida en centros psiquiátricos. Ya fue ingresado por primera vez en los años setenta. Las reclusiones no impidieron que siguiera escribiendo y publicando. Al final de los ochenta ingresa de manera permanente el centro psiquiátrico de Mondragón en el País Vasco. En su obra poética, el autor juega continuamente con la idea de que está loco y no lo está. De esta manera, locura y cordura se confunden en sus poemas, guiños al lector de que la vida en sí es una combinación del enloquecimiento, la inteligencia y la muerte, elemento, éste último, siempre presente como telón de fondo. El poeta muere en el mes de marzo del 2014 en el Hospital Psiquiátrico Juan Carlos I de Las Palmas de Gran Canaria, donde vivía con permiso para poder salir. Túa Blesa escribe un emotivo artículo sobre la muerte del escritor y ofrece en la parte final del texto esta breve semblanza:

Ha muerto el último poeta, quedan el fulgor de sus libros, el fervor de sus lectores y la lección de que en literatura, en arte, en la vida, el caminar contracorriente es posible. Esa lección que nos deja la pagó cara Leopoldo María Panero, es deber de los lectores que el libro que la contiene no se cierre con su muerte, ahora sí, no literaria (2).

Ana María Moix (1947-2014) fallece el 28 de febrero, en el mismo año en el que muere Leopoldo María Panero. Barcelonesa y hermana menor del novelista Terenci Moix (1942-2003), es la única mujer que aparece en la antología de José María Castellet. Su poesía contiene una ternura y una sentimentalidad que la diferencia de los otros poetas de la antología. Entre 1969 y 1973 publica tres poemarios, *Baladas del dulce Jim*, *Call me Stone* y *No time for flowers*. También se dedicó a la novela, al cuento y tradujo del francés a Louis Aragon, Samuel Beckett, Marguerite Duras, Amélie Nothomb y Françoise Sagan. En 1969 publica *Baladas del dulce Jim* con un prólogo de Manuel Vázquez Montalbán quien destaca la influencia del cine y de la canción: «En el juego de las evocaciones dos mil quinientas dos películas y seiscientas mil canciones han aportado materias de aluvión a estos poemas anticolumnarios de Ana María Moix» (1).

Moix le da mucha importancia al tema de la canción en la parte que le toca escribir sobre el tema de la poética en *Nueve novísimos poetas españoles*. En este ensayo se refiere a su vida con sus hermanos, Miguel y Ramón Terencio (Terenci). Miguel murió pero ella recuerda cuando éste tenía quince años y quería ser compositor. Ella le dijo entonces que quería ser cupletista. De haber vivido, al hermano le habría gustado *Baladas del dulce Jim* «y les hubiera puesto música a los poemas para que alguien los cantara en el festival de Eurovisión» (217). También menciona la relación con Terenci al recordar que éste compraba libros de Jean-Paul Sartre y los escondía del padre que era monárquico y pensaba que el filósofo francés era la reencarnación del demonio. Un día le dice a su hermano Terenci que ha decidido ser escritora y éste responde «¿No querías ser trapecista?». A la madre le pareció que la chica estaba muy perdida ya que «nada bueno podía esperarse de una chica que leía libros» (218). Todo el ensayo está repleto de recuerdos en donde se van mezclando la nostalgia, el humor y la educación sentimental de una adolescente que siempre quiso dedicarse a una vida no convencional.

En *Baladas del dulce Jim*, el poema «Nancy bailará siempre» está ambientado en Estados Unidos y hay referencias a los bares y las cárceles de la ciudad de Nueva York. Tres personajes –Nancy Flor y dos hermanos, Jim y John– son los jóvenes soñadores y rebeldes de los años sesenta en Estados Unidos:

> *Ella tenía los ojos grises,*
> *Johnny pintaba flores de azahar,*
> *Jim era dulce, un soñador.*
>
> *Ella bailaba todas las noches,*
> *Jim la soñaba en un bazar*
> *rodeada de otros muñecos*
> *que la adoraban por su candor (vv. 13-19).*

Las tres personas están unidas por la amistad, pero desgraciadamente los dos hermanos están enamorados de la misma chica. El grupo se ve envuelto en una historia trágica que culmina cuando Jim –terriblemente celoso del amor entre Nancy y John– asesina a su compañero. Una sombra en la acera a mediodía deja claro que Nancy y John, se abrazan amorosamente y Jim no puede controlar sus celos:

Caía el sol en la acera
y Dulce Jim vio un gran amor
en las dos sombras de Johnny y Nancy Flor
unidas a ras de tierra.

El dolor apenas quema
cuando nada queda en el hueco
de un antiguo corazón.

El asesino huyó de la justicia
pero le persigue el eco
de una loca ilusión
que con diabólica malicia
persiste en tener razón.

Una flor era Nancy para Jim,
mas una flor pintada antaño
por un solo enamorado
que no fue Jim, sino John (vv. 26-41).

El poema contiene referencias implícitas al cine norteamericano de la época, a la novela negra y al movimiento hippy, representado especialmente por Nancy Flor. El texto explica que la historia fue documentada por un pistolero que fue testigo de la matanza y que luego pasó a ser carcelero y escribió en un cuaderno la historia de la tragedia. Moix escribe la composición utilizando la forma de una triste canción con las rimas y los ritmos musicales de las canciones que a veces servían de oberturas en las películas de Hollywood y que contaban brevemente partes de la trama de la película. Manuel Vázquez Montalbán escribe sobre esta relación entre cine, relato detectivesco y canción en su prólogo a *Baladas del Dulce Jim*: «Canten las canciones de Ana María al asesino sentimental que huyó de madrugada. Comprueben si se adaptan a su ritmo sentimental. Escojan su poeta en el supermercado» (1).

Lo que está muy claro en un poema como «Nancy bailará siempre» es la necesidad de encontrar nuevos mitos culturales. Héroes de la pantalla como James Dean —el joven actor norteamericano que murió prematuramente en 1955 en un accidente de automóvil, y que en ese mismo año había protagonizado la película *Rebelde sin causa*—, se convertirían en símbolos de la contracultura norteamericana de los años sesenta. En España estas figuras estaban muy presentes en el cine. Pero también llegaba la música: Frank Sinatra, el rock and roll de Elvis Presley y las canciones *folk* de Bob Dylan y Joan Baez. La cultura norteamericana ofrecía la ilusión de la aventura, la diversión y la rebelión. En el contexto español, el auge del pop rock comienza a manifestarse al final de los cincuenta y comienzos de los sesenta. Grupos como Los Bravos, Formula V, Los Pekenikes y Los Brincos —un grupo nacido en 1964 cuyos miembros llegarían a ser conocidos como *los Beatles españoles*— son ejemplos de los cambios culturales en el mundo de la música.

Algunos poemas de Moix están escritos en forma de prosa como por ejemplo «Todo sucedió con la máxima sencillez», composición que sale en defensa del tema de la tolerancia. El texto ofrece imágenes que se pueden relacionar con el esteticismo modernista (a través de la referencia al cisne, símbolo de la poesía). También hay referencias al tema del alcoholismo. Aparecen nombres poéticos de personajes de los cuentos de hadas y de las fábulas en un marco poético que resulta original y mágico. El poema comienza con expresiones retóricas y formales en las dos primeras líneas, que dan paso a un lenguaje mucho más imaginativo.

Otros poemas presentan visiones insólitas que aparecen de repente en los lugares menos esperados como en el texto «Lo descubrí con la frente apoyada en el escaparate»:

> Lo descubrí con la frente apoyada en el escaparate de la pastelería y en los ojos blancos, increíbles, le reconocí: era Dios y estuve a punto de decírselo: Te ves más viejo desde la última vez. Pero me pareció tan triste que hice como si no lo conociera.

Desde un contexto cotidiano –como es el escaparate de una pastelería– aparece la imagen religiosa. El humor es consecuencia de la reacción del sujeto. Pasa de largo sin darle importancia al hecho de que acaba de ver un milagro. Moix está buscando un sentido de encantamiento en la gris existencia metropolitana. Al mismo tiempo, también sugiere que algo tan extraordinario puede ser completamente ignorado en el ambiente impersonal de la gran ciudad. Lo que hace que este texto sea posmoderno es la capacidad de juego. Moix convierte un poema en otro género completamente diferente, en este caso, un brevísimo relato. El tono conversacional es también fundamental; lo que sucede se explica con un lenguaje de la calle.

«Pasaban de las doce de la noche» es otro poema de *Baladas del dulce Jim*. El texto introduce dos mitos culturales completamente distintos –el poeta neorromántico Gustavo Adolfo Bécquer y el revolucionario argentino, Ernesto «Ché» Guevara:

Pasaban de las doce de la noche cuando regresaba a casa, y
juro que no bebí, pero allí estaban los dos, jugando a cartas
a la vuelta de la esquina. Eran dos sombras para siempre enamoradas:
Bécquer y Ché Guevara.

Se alude al gran poeta de la segunda mitad del siglo XIX (representante de la sentimentalidad romántica) y también a un personaje diametralmente opuesto: el apóstol de la revolución marxista en Latinoamérica. Los dos elementos del texto, poesía y revolución –o si se quiere, imaginación e indignación– son apropiados para explicar lo que es la contracultura en esta época. La revolución estudiantil de 1968 en París es asimismo un buen ejemplo de romanticismo y rebeldía. El texto de Moix tiene relación con el cómic, género en donde se puede lograr este mismo nivel de caricatura y de humor. El poeta sentimental y el guerrero marxista están sentados en la misma mesa jugando a los naipes en una imagen que podría haber aparecido en una viñeta humorística en un periódico de la época.

Manuel Vázquez Montalbán escribe en 1969 un elogio de Ana María Moix en el que alude a la mezcla de referencias míticas en su poesía: «Pocas cosas me han alegrado tanto últimamente como este libro que quizá se titule *Baladas del Dulce Jim*. Es un ejercicio de libertad imaginativa y cultural que termina en un precioso beso entre el Ché Guevara y Gustavo Adolfo Bécquer... (mi teletipo particular me comunica que estudiantes extremistas de izquierda acaban de incendiar la Universidad de Roma)» (1). Rafael Conte publica en el 2002 un artículo en el diario *El País* en el que recuerda la trayectoria y el legado literario de esta escritora de Barcelona que fue incluida en la antología de Castellet:

> En realidad, dentro de esa rebelión juvenil y generacional que impuso una escritura más cosmopolita, culturalista y rabiosamente individualista –influida por la rebelión pop británica, el *sesentayocho* francés y los movimientos norteamericanos jóvenes del momento, el nombre de Ana María Moix se presentaba como el de la gran esperanza blanca de las letras españolas del momento (1).

Moix también se dedicó a la prosa publicando en distintas modalidades: novela, relatos, biografía, literatura infantil y ensayo. Sus primeros libros de poesía aparecen publicados en 1983 en una edición titulada *A imagen y semejanza*. Moix ha tenido una presencia en la memoria cultural de Barcelona al pertenecer al grupo de jóvenes que protagonizaron la llamada *gauche divine*, el movimiento de intelectuales de izquierda de los sesenta y comienzos de los setenta que en su nómina incluye a escritores como Félix de Azúa, Terenci Moix, Jaime Gil de Biedma y José Agustín Goytisolo, arquitectos como Ricardo Bofill, Óscar Tusquets y Orio Bohigas y editores como Jorge Herralde, Esther Tusquets y Beatriz de Moura, entre otros muchos que provienen de diferentes disciplinas como el cine, el teatro y la fotografía.

El tema de la contracultura en Panero o en Moix hace pensar en la importancia histórica y cultural de la rebelión de 1968. En *Nuevos y novísimos poetas en la estela del 68*, Juan José Lanz presenta un capítulo titulado «Himnos del tiempo de las barricadas: sobre el compromiso en los novísimos». El crítico estudia las manifestaciones estudiantiles del final de los sesenta en los países occidentales y llega a la conclusión de que existen dos causas de la protesta (146). La primera se basa en una pérdida de fe en la posibilidad de la revolución proletaria. La segunda es una sensación de desconfianza hacia cualquier tipo de organización política u obrera. Muchos jóvenes de todo el mundo occidental sentían que el capitalismo avanzado era opresivo. Su rabia era un cuestionamiento de las creencias que habían llevado a esta situación. Los jóvenes desengañados desafiaban cualquier tipo de autoridad.

En el contexto de la España de esta época, los novísimos se dan cuenta de que la generación literaria anterior había protestado contra el franquismo de manera más o menos organizada, pero ellos se oponen a esta necesidad de burocratizar la protesta. Según explica uno de los poetas del grupo de los cincuenta, Ángel González, los sesentayochistas rompen con la manera de oponerse al franquismo de los mayores. Los novísimos ofrecerán otro modelo distinto que es una escritura fuertemente culturalizada cuyo propósito es demostrar por vía de referencias culturales, que el ciudadano español había sido inculcado un provincianismo empobrecedor. De esta manera apuestan por lo que Lanz llama «la posesión pública y pacífica de la cultura» (149). José María Castellet también se había enfrentado con este tema aclarando que los nuevos poetas proponían un concepto autonómico de arte, desvinculado del compromiso social o político, lo cual llevaba a un entendimiento de que el poema es una obra independiente (33). La libertad creadora estaba por encima de todo, pero, como indica anteriormente Lanz, esta nueva libertad era asimismo una crítica sutil del sistema autoritario y de la institucionalización franquista de una cultura. El objetivo era revelar cómo la manera institucionalizada de pensar era intolerante y no permitía otros modos de pensamiento. La manera de oponerse a un sistema político no era con la ideología sino con una valorización de la creatividad y la defensa de la libertad del creador.

Aunque son poetas distintos, Leopoldo María Panero y Ana María Moix coinciden al jugar con el tema de las fronteras entre los géneros literarios. El género es una manera de clasificar las distintas modalidades de la literatura. Pero en una época en donde ya todo parece estar muy mezclado por la influencia de los medios de comunicación, aceptar el hecho de que las divisiones genéricas no son tan estrictas, ofrece la posibilidad de la experimentación. Panero deconstruye en un poema un conocido cuento infantil revelando el indoctrinamiento moral que está detrás. Moix convierte un poema en una canción o en una viñeta que caricaturiza algún tema mítico. En Moix muchos poemas tienen el ambiente de un cuento de hadas, lo cual le confiere al poema un aire de ternura, pero el objetivo es reflexionar, de esta manera, sobre el carácter insólito de la vida.

Steven Best y Douglas Kellner son dos académicos norteamericanos que se han dedicado a estudiar las grandes obras de los filósofos de la posmodernidad. Le dan mucha importancia al pensamiento de Jean François Lyotard porque en él se encuentran las claves para entender la nueva epistemología posmoderna. Si la modernidad buscaba legitimar la fundación de sus creencias a través de los metarrelatos, el conocimiento posmoderno, según Lyotard, está en contra de la necesidad de fundar y de legitimar un proyecto social, político o cultural (165). Está a favor de la heterogeneidad, la pluralidad y el relativismo para poder ofrecer soluciones a la vida local. Para poder conseguir una nueva manera de pensar, es fundamental desarrollar, por lo tanto, una nueva epistemología que evite las contradicciones, las exclusiones y las restricciones de la modernidad.

Estas reflexiones filosóficas sobre la cultura posmoderna sirven para poner en perspectiva lo que consiguen Panero y Moix. Lo que se logra es el esfuerzo por buscar nuevas maneras de conocimiento, por encontrar una epistemología que se pueda utilizar en una sociedad que es distinta de la anterior y que, además, está cambiando continuamente. Si existe ambigüedad constante con respecto a las fronteras de los géneros es porque la propia cultura se ha transformado. Hay muchos más medios de comunicación que hacen que uno se cuestione lo que es verdaderamente la identidad de un texto poético o la identidad del arte en general. Por ejemplo, ¿un anuncio televisivo puede ser como un poema? ¿El rock and roll es poético? Se necesita más flexibilidad y más tolerancia para entender que lo mediático se puede incorporar porque tiene impacto cultural y es una parte real de la vida cotidiana. Las transformaciones culturales piden una manera mucha más abierta de entender la frontera entre lo culto y lo popular.

CAPÍTULO 6

EL NUEVO VANGUARDISMO:
EXPLORACIÓN Y EXPERIMENTACIÓN

E L vanguardismo sesentayochista surge como reacción al ago-
tamiento del realismo social. Aclara José María Castellet en
Nueve novísimos poetas españoles que la rebeldía de los novísimos
no es en contra de toda la poesía anterior en el siglo XX sino contra la tendencia realista y testimonial que se había ido imponiendo
desde el período de posguerra: «los postulados teóricos del "realismo" empiezan a convertirse en pesadilla para muchos, incluidos
algunos miembros de la generación que con más virulencia los
predicó» (21). Es fundamental reconocer el papel que tienen los
poetas del cincuenta en este proceso. Julia Barella comenta que
«habían luchado por liberarse del compromiso ideológico, que
tanto había mediatizado la poesía social, y se habían cobijado en
la concepción de la poesía como medio de conocimiento de la realidad» (4). Serán los novísimos, sin embargo, los que representan
—con su visión mucho más extremada de la libertad artística— la
verdadera ruptura estética en los años sesenta. Juan José Lanz señala en su libro, *Nuevos y novísimos poetas en la estela del 68*, que
lo consiguen rechazando los postulados del realismo social: «Sólo
el proceso negador de la estética precedente permite la aparición

de la nueva vanguardia poética como un movimiento que viene a reinstaurar los verdaderos valores que la poesía anterior había negado» (75). El vanguardismo, por lo tanto, al mismo tiempo que es un fenómeno nuevo en la lírica española de los sesenta, es una recuperación de las ideas presentes en una poesía anterior al realismo social. Es por eso que algunas manifestaciones vanguardistas del grupo poético de 1968 –esteticismo, metapoesía, malditismo, culturalismo– son un retorno a la modernidad poética. Se vuelve a examinar la modernidad pero se hace desde una época ya muy marcada por una mentalidad posmoderna, la cual hace que la lírica de los novísimos sea distinta del vanguardismo de la generación de 1927.

Para el grupo del 27 –el de poetas como Lorca, Guillén, Aleixandre y Cernuda–, la lírica era esencialmente una visión del mundo expresada por la metáfora. Esa visión, diferente para cada uno de los poetas, se presentaba como una verdad aceptada. Para los novísimos la poesía se basa en el tema de la representación poética. Lo que les interesa es el *proceso* de la creación poética. Por eso su lírica tiende a ser auto-reflexiva, característica que los enlaza con la posmodernidad literaria. En los poetas de la generación de 1927 siempre hay, por ejemplo, un esquema de ordenación, un cierto comienzo y un final. Aunque hay excepciones, la composición de muchos de libros de los novísimos no obedece a este tipo de orden. La razón es porque lo que les interesa verdaderamente es la experiencia de la creación del poema y la lectura del texto, no el itinerario del recorrido en el libro. El tema de la representación les lleva a explorar la metapoesía pero también son conscientes de que toda representación poética está siempre ligada a la cultura y el objetivo es explorar, a través del poema, este tema.

Cualquier definición de *vanguardismo posmoderno* en la generación tiene que tomar en cuenta la experimentación formal (el proceso de creación) y la intertextualidad cultural. Otro aspecto fundamental es la independencia del lenguaje, una concepción que les lleva a constatar que cualquier tipo de renovación tiene que basarse en una valorización de los aspectos formales de la lírica. Si el lenguaje es autónomo también lo es el poema. Al desligarse del realismo anterior, los novísimos proclaman la libertad artística superando lo que había sido una cuestión problemática, la cuestión del compromiso social del escritor con los problemas de España, una concepción que representa para la nueva promoción una atadura excesiva. Julia Barella explica que, en el esfuerzo por buscar una nueva poética, los novísimos se interesan por temáticas provenientes de otro ámbitos, de otro países. Les fascina, por ejemplo, la cultura francesa y la anglosajona, pero también cualquier cultura extranjera: «se alejaban conscientemente de la realidad española que les rodeaba, haciendo que sus poemas dieran cabida, en largas enumeraciones, a referencias, glosas y citas en varios idiomas de pintores, directores y actores de cine y escritores de medio mundo» (2).

El intelectual o artista de la modernidad del siglo XX, en la primera mitad del siglo, era profeta y visionario en la sociedad de su momento. Existía un aire de autoridad en su proyecto, en su perspectiva y en su manera de pensar porque representaba *lo moderno*. Se puede evidenciar esta actitud en la pintura de Pablo Picasso y de Wassily Kandinsky, por ejemplo, en la poesía surrealista de André Bretón o en la obra de poetas norteamericanos como Wallace Stevens o Ezra Pound. En el caso de la modernidad poética en España –el grupo del 27– la poesía surrealista de los años treinta de un poeta como Vicente Aleixandre es un buen ejemplo de esta actitud. La fe que tenía Aleixandre en su visión particular del mundo, plasmada en su poesía, es una fe incuestionable. En libros como *Espadas como labios* (1932) o *La destrucción o el amor* (1935), Aleixandre cree en el amor como la fuerza central, una fuerza que no se puede gobernar ni atar. El amor es una energía cósmica que relaciona al ser humano con el universo. Esta visión de la humanidad es épica, romántica e universal y Aleixandre la presenta en sus poemas de manera afirmativa y no duda de su validez poética o estética. La postura posmoderna es diferente porque en vez de creer en un conocimiento absoluto, en una visión total de cómo es el mundo, el creador adopta múltiples maneras de pensar en su obra y no le molesta la contradicción epistemológica ya que ironiza sobre la posibilidad de llegar a un entendimiento hegemónico. El pluralismo y el relativismo del creador posmoderno son aspectos que tienen que ver con una desconfianza hacia la autoridad intelectual, hacia cualquier tipo de intento de institucionalizar algo. La postura de los novísimos no se basa sólo en la libertad de expresión, sino también en la libertad de cuestionar y de ironizar.

Es esencial tomar en cuenta el papel que tiene el esteticismo en el proceso de renovación. El lenguaje testimonial de la poesía social había servido para denunciar la circunstancia social y política en España: la miseria, el atraso, la injusticia social y la falta de libertad política. En 1966, sin embargo, la publicación de *Arde el mar* de Gimferrer significa un cambio en el tipo de lenguaje utilizado. Al año siguiente en 1967, Guillermo Carnero publica *Dibujo de la muerte*. El lenguaje esteticista de estos dos poemarios se basaba en una recreación del verso modernista, imitación que representaba la búsqueda de una belleza que había desaparecido de la lírica española. También se lograba separar el lenguaje poético de su función testimonial. Juan Cano Ballesta indica que la palabra poética en los novísimos «logra una cierta autonomía estética y se trueca en protagonista del poema cultivando un lenguaje selecto, sensorial e intenso» (24). Esta es una de las paradojas de la relación entre la sensibilidad estética de los novísimos y la cultura de la posmodernidad. ¿Si el creador posmoderno no cree verdaderamente en ideas transcendentes, cómo se puede explicar esta pasión por lo estético? La respuesta reside en que una de las características de la posmodernidad es la importancia que se le da al lenguaje, y esta actitud conduce a una actitud auto-reflexiva. Comenta Christopher Butler que para el artista posmoderno crear es ser auto-reflexivo y ser muy consciente de toda una serie de apreciaciones críticas que están lejos de la manera de pensar en la modernidad y son parte de una época muy posterior (78).

Para la promoción del 68, la autorreflexividad se basa en el entendimiento que toda creación artística o literaria es una ficcionalización. El esteticismo, por lo tanto, no sólo es el acto de mimetizar la belleza sino también el de apreciar la habilidad inventiva del artista y su capacidad de transformar la realidad. Este tipo de apreciación abre el camino para explorar las grandes preguntas del arte y la literatura. Lo fundamental es la voluntad de explorar con el lenguaje poético, abandonando la necesidad de buscar el sistema filosófico o el concepto totalizador que está detrás de la obra creada. En este sentido, la importancia de *Arde el mar* de Pere Gimferrer es indudable. El lenguaje poético de este libro gira radicalmente hacia un extremo ofreciendo la elegancia exquisita del Modernismo como alternativa al coloquialismo que había dominado en la poesía social. Se explora la imagen buscando correspondencias en el arte (la pintura, la arquitectura y la música) y se experimenta atrevidamente con la narratividad de manera barroca. Pero lo que importa es la pasión por la experiencia estética.

En su ensayo sobre *Arde el mar*, Jordi Gracia titula uno de los subcapítulos «La vanguardia como terapia cultural» y comenta que, detrás de los distintos aspectos innovadores del poemario, «está la convicción de que el arte moderno sólo lo es cuando es interrogación, indagación y crítica del arte mismo» (22). Gracia examina los distintos ensayos y reseñas del poeta catalán en esta época y explica que Gimferrer tiende a disentir con respecto a lo que la poesía del momento valoraba. El desinterés es el resultado de querer buscar otras maneras de pensar sobre la poesía y la literatura en general (24). Se interesará, por ejemplo, por la ciencia ficción y la literatura de terror y la fantástica. La nueva novela hispanoamericana será elogiada en un artículo sobre Carlos Fuentes en la revista *El ciervo* en agosto de 1966 en donde menciona toda una serie de nombres de novelistas desde Alejo Carpentier hasta Julio Cortázar cuya obra narrativa hace que la española parezca provinciana (13). Aparte de su afición por el cine, Gimferrer se siente también atraido por el surrealismo y el dadaísmo del grupo artístico *Dau al set*, colectivo vanguardista en Barcelona de pintores fundado en 1948 por el poeta y artista Joan Brossa. Antoni Tàpies, Joan Ponç, Juan-Josep Tharrats y Modest Cuixart estuvieron vinculados al grupo artístico. Comenta Gracia que la fascinación por este grupo estaba unida a «la confesión de un experimentalismo vocacional que apuesta por la reanudación necesaria de las vanguardias de preguerra» (34). Las ideas de Joan Brossa, cuyo vanguardismo estaba presente en distintos ámbitos —el teatro, la poesía visual y la escultura— serán particularmente influyentes en el joven poeta y Gracia indica que el movimiento catalán «encarna a la perfección ese modelo de resistencia moral de las vanguardias que tantas veces Gimferrer ha querido hacer suyo» (34). Por esta época hay también una afinidad por la poesía vanguardista de J. V. Foix y la pintura de Joan Miró. También será fundamental la amistad que tendrá Gimferrer con Vicente Aleixandre y con Octavio Paz con quien mantendrá una relación epistolar desde 1966 hasta 1997.

El carácter rupturista de *Arde el mar* se debe al rechazo de la realidad cotidiana. Se opta por un mundo imaginativo en donde la belleza y la reflexión sobre la escritura del poema son los temas centrales. Lo estético y lo metapoético se unen en poemas que exploran la propia identidad literaria del autor y su sensibilidad estética. Las imágenes son evocaciones de escenas recordadas con la pasión del poeta romántico pero con un lenguaje muy cercano al preciosismo de la lírica modernista. La sensualidad y la plasticidad dominan en las geografías sentimentales del poeta, paisajes que aparecen evocados con un verso libre, alargado y lleno de aliteraciones. Es notable asimismo en el libro la influencia de los movimientos poéticos de la modernidad europea: el simbolismo, el vanguardismo y el surrealismo, así como la poesía hispanoamericana a través de autores como Pablo Neruda, Lezama Lima y Octavio Paz. En los poemas se mezclan distintos planos temporales. Los saltos tienen mucho que ver con las maneras de narrar el proceso de la memoria, un proceso que va de lugares reales que ha visitado el poeta –por ejemplo, una visita a Venecia– a espacios pertenecientes a libros que ha leído el autor y que entran de repente a ser parte del poema. De esta manera, se confunde la vida personal con la ficción logrando un intenso juego de ambigüedades en donde la belleza y la irrealidad se confunden.

La dimensión culturalista de *Arde el mar* tiene mucho que ver con el sentimentalismo literario de un precoz poeta que se había dedicado a la lectura constante y había llegado a adquirir un asombroso nivel de conocimiento. En un artículo titulado «Un paseo por el amor en Venecia y la muerte en Beverly Hills», Julia Barella habla de las alusiones culturales en el libro:

> En *Arde el mar* encontramos la cultura clásica, el mundo medieval desde la óptica romántica, Venecia desde Thomas Mann, la estética kitsch, la subjetividad en las descripciones de cuadros, de esculturas, de arquitecturas y jardines, Antonio de Hoyos y Vinent, Oscar Wilde y D'Annunzio, la adolescencia que se quiere olvidar, la que se añora y se odia, la Universidad, los libros, las largas enumeraciones que necesita un joven con muchas ansias de conocimiento, la ciudad en que se vive, lo que se recuerda literariamente y lo que se quiere olvidar, los viajes por Europa, la soledad y la meditación sobre la poesía, la duda, el no saber quién se es y, al mismo tiempo, la posibilidad de reconocerse en cualquier cosa (4-5).

«Primera visión de marzo» es un poema de *Arde el mar* dividido en cuatro secciones o apartados. Esta composición es un buen ejemplo de cómo Gimferrer une la contemplación de la experiencia estética con la reflexión metapoética. Jordi Gracia explica que la sección I del poema narra el recuerdo de una visita al Colegio de San Gregorio de Valladolid, importante obra arquitectónica de la época de los Reyes Católicos, que contiene un claustro y el Museo Nacional de Escultura que data de 1933 (81). La fachada del complejo es particularmente dramática con una ornamentación exuberante que le da un carácter irreal al complejo, como si fuese un sueño. El poeta recuerda específicamente las estatuas del museo cuyas formas

le dan a la experiencia recordada una intensa sensualidad. El poema
es un homenaje al arte y a su habilidad de transformar la realidad:

> No hay pantalla o visera, no hay trasluz
> ni éstas son sombras de linterna mágica:
> cal surca el rostro del guerrero, roen
> urracas o armadillos el encaje de los claustros.
> Yo estuve una mañana, casi hurtada
> al presuroso viaje: tamizaban la luz
> sus calados de piedra, y las estatuas
> —soñadas desde niño— imponían su fulgor inanimado
> como limón o esfera al visitante.
> Visión, sueño yo mismo,
> contemplaba la estatua en un silencio
> hecho sólo de memoria, cristal o piedra tallada
> pero frío en las yemas, ascendiendo
> como un lento amarillo sobre el aire en tensión (vv. 26-39).

Si el texto se quedase sólo en la descripción de la experiencia no
tendría esa complejidad barroca. La contemplación da pie a una
exploración del tema de la evocación, cuyo recuerdo parece trans-
figurar al propio poeta (al principio del texto el poeta utiliza la palabra *transustanciación*, que en el Catolicismo es la transformación
del pan y del vino en el cuerpo de Cristo). El poema se convierte
en crónica de este proceso en el cual el poeta —y su identidad como
escritor, como artista— se fusiona con la experiencia recordada. En
otra parte de la sección I, el poeta escribe lo siguiente:

> Hacia otro, hacia otra
> vida, desde mi vida, en el común

artificio o rutina con que se hace un poema,
un largo poema y su gruesa artillería,
sin misterio, ni apenas
este sordo conjuro que organiza palabras o fluctúa
de una a otra, vivo en su contradicción (vv. 40-46).

En la sección II el poeta ofrece una serie de recuerdos de su etapa escolar en Barcelona. Sus clases de francés y de solfeo y sus lecturas, como el primer contacto con un autor como Montaigne, así como el impacto del arte de Pablo Picasso. La sección III cambia radicalmente de escenario. El poeta recuerda una visita en 1961 a Roma y la llegada a la plaza de San Pedro con su columnata famosa. Pero la narración no alude directamente al recuerdo del escritor sino a una película de 1963, *El Cardenal*, de Otto Preminger (1905-1986). Gimferrer había escrito una reseña de esta película en la revista *Film Ideal* en 1964. En el poema la cámara está filmando la plaza y cada secuencia fílmica es una puesta en escena de una nueva visión de la realidad, un nuevo umbral sobre la experiencia estética. La película se convierte en paradigma del propio proceso de cambios de escena en el poema. La relación que se establece, en esta parte del texto, entre la realidad recordada (un viaje e Roma) y el cine de Preminger viene a acentuar el papel interpretativo que tiene el arte, es decir, su capacidad para ficcionalizar la realidad. Pero existe otro plano en el poema que es la vuelta –en la sección IV– a la escritura del propio poema, del texto que el lector tiene delante:

Ordenar estos datos es tal vez poesía.
El cristal delimita, entre lluvia y visillos,
la inmóvil fosforescencia del jardín.

Un aro puede arder entre la nieve bárbara.
Ved al aparecido y su jersey azul (vv. 1-5).

El poeta reflexiona sobre el proceso de escribir como una *nueva mirada*, pero es ésta ahora una observación del poema total después de haber pasado por las diversas ventanas del recuerdo, desde la visita a Valladolid hasta la contemplación de la belleza arquitectónica de la plaza de San Pedro en otro viaje. Pero también hay una mirada que actúa a través de la película de Otto Preminger.

Las imágenes finales en la sección IV de «Primera visión de marzo» hacen referencia a la música y a la pintura, dos disciplinas que sirven para acentuar el proceso de evocación (la escritura de esa evocación como la composición de una obra musical o la pintura de un lienzo). El acto de evocar, sin embargo, se queda siempre lejos de la realidad ya que el poema es sólo una aproximación a lo que el poeta llama una «verdad inaprensible»:

Así puedo deciros
esto o aquello, aproximarme apenas
a la verdad inaprensible, como
buscando el equilibrio de una nota indecisa
que aún no es y ya pasó, qué pura.
Violines o atmósferas. Color muralla, el aire
proyectando más aire se hace tiempo y espacio. Así nosotros
movemos nuestras lanzas ante el brumoso mar
y son ciertas las luces, el sordo roce de espuelas y correaje,
los ojos del alazán y tal vez algo más, como en un buen cuadro (vv. 6-15).

La poesía de Pere Gimferrer tiene la capacidad de seducir verbalmente. Jordi Gracia la describe como llena de una «vistosidad innegable, con un aparato y una brillantez visual inusuales» (64). Las poderosas imágenes le confieren al texto una riqueza visual con vocablos sofisticados, a veces arcaizantes. Las asociaciones entre elementos dispares produce una sensación de maravilla como en uno de los versos finales del poema anterior, «Violines y atmósferas», descripción que es pictórica, sugerente y musical. Es una poesía altamente gongorina por sus cualidades estéticas y su barroquismo.

Una técnica vanguardista muy utilizada por los poetas novísimos es la del collage. Se advierte su uso, por ejemplo, en Antonio Martínez Sarrión. Francisco J. Díaz de Castro y Almudena del Olmo Iturriarte comentan –en un artículo escrito conjuntamente– que el collage era parte de un proceso de buscar nuevos elementos para la renovación: «especular con nuevas posibilidades de la voz poética es la manera de proponer una alternativa a la poesía social que, en su caso, apunta a los mismos objetivos morales pero que se enfrenta radicalmente a su manera de entender el lenguaje poético y sus materiales» (150). El collage tiene la virtud de mezclar en el poema diversos temas y discursos rompiendo con la organización sintáctica del verso tradicional. La fragmentación sintáctica permite ofrecer una manera distinta de organizar el poema.

Un buen ejemplo del uso del collage en Martínez Sarrión es el poema «Now's the time» de *Pautas para conjurados* (1970) en donde se alude a Max Roach (1924-2007), un famoso baterista del jazz que formó parte del mítico quinteto con nombres legendarios del jazz como los de Charlie Parker y Dizzie Gillespie. Roach desarrolló con Kenny Clark un sistema de ritmos que permitía que los otros músicos tocasen libremente. El poema retrata una sala de jazz en donde se está tocando con este sistema rítmico. El ritmo de percusión está insertado en el poema y se puede percibir en los primeros versos que repiten palabras:

> nada
> más   nada
> *más que las sienes ardiendo*
> *balcón hacia la noche navegantes*
> *sin aguja imantada*
> *rojas constelaciones con nombres de guerreros*
> *la insufrible presión de Max Roach*
> *conciso duro enérgico porque sí*
> *porque hay niebla porque riegan y el dueño*
> *ha de cerrar el club y todos muertos (vv. 1-10).*

La tensión entre ritmo y verso hace que el poema-collage sea una evocación de la música en un local de jazz en donde el ambiente de la noche hace que la música parezca un viaje en barco sin dirección alguna. El poema es un homenaje al jazz, una música que le sirve al poeta para desarrollar una poesía sin significados transcendentes, que es como lo que *se está escuchando*, una música cuyo objetivo es vaciar al individuo, relajarle y liberarle, pero, sobre todo, hacerle sentir que el tiempo pasa sin que uno se dé cuenta.

Otra faceta del vanguardismo sesentayochista es la fascinación con el movimiento surrealista, una de cuyas características es la fragmentación del texto, lo cual hace pensar en lo que anteriormente se ha mencionado sobre la técnica del collage. Dentro de la corriente neosurrealista del grupo habría que situar ciertos poemas de Pere Gimferrer y los primeros libros de José-Miguel Ullán en los años sesenta. A partir de los años setenta la lírica de Ullán se encaminará hacia una experimentación mucho más más radical en

Maniluvios (1972). La corriente neosurrealista de la generación comienza ya a a perder fuerza a principios de los sesenta, coincidiendo con el fracaso de las revueltas estudiantiles del mayo francés y desaparece hacia la mitad de la década.

Francisco J. Díaz de Castro y Almudena del Olmo Iturriarte explican la influencia del surrealismo en *Pautas para conjurados*. Los críticos observan que el carácter experimentalista del libro es una manera de resucitar el vanguardismo europeo de entreguerras:

> Martínez Sarrión elige lúcidamente instrumentalizar las técnicas del surrealismo y de la vanguardia en general en una dirección semejante a la de su cuestionamiento de la cultura. No se trata de continuar con el sujeto de la poesía vanguardista, que es el heredero final de la raza romántica, con su disolución de la lógica y el todo vale de una escritura desatada en la que las emociones priman sobre cualquier análisis (160).

El movimiento surrealista había nacido en Francia con el *Primer manifiesto surrealista* de André Bretón en 1924. El objetivo era revolucionar el concepto del lenguaje con nuevas maneras de entender el tema de la composición. Era imperativo revelar las fuentes de represión psicológica en el ser humano a nivel sexual y social, y es por eso que surge la llamada *escritura automática* que es una transcripción de los sueños, de la realidad subconsciente. Se convirtió en una manera de subversión estética que se alzaba en contra del conformismo burgués de la época y contra el realismo del siglo XIX. El neosurrealismo sesentayochista representa un rechazo de cualquier visión prosaica del mundo porque la intención es agitar la conciencia colectiva y hacer que el individuo salga del estupor de un orden y una rutina que limitan la individualidad. En la sección dedicada a clarificar el tema de la poética en *Nueve novísimo poetas españoles,* José María Álvarez hace referencia al surrealismo: «Si tuviera que encerrar en una sola frase lo que pienso de mi trabajo, le diría aquella del maestro A. Bretón: AQUÍ Y EN TODAS PARTES HAY QUE ACORRALAR A LA BESTIA LOCA DEL USO» (109).

«Fuegos artificiales» es uno de los poemas fundamentales de *Pautas para conjurados.* Indican Francisco J. Díaz de Castro y Almudena del Olmo Iturriarte que el poeta se dedica en este texto a «desacralizar la institución de la poesía, como un caníbal, como un incendiario cultural» (162). En las primeras estrofas, el verso sigue más o menos una estructura sintáctica aunque se elimina la puntuación:

> *poesía iniciática*
> *desde la catacumba más hediente:*
>
> *de este modo es posible conjurar*
> *con resultado válido*
> *nombrar como si no viniere al caso:*
>
> *nervaduras así alas de mariposa*
> *rencillas solventadas paso libre (vv. 1-7).*

Después de la tercera estrofa el poema cambia y se convierte en collage. La poesía es la entrada en un mundo cultural caótico y cambiante y de ahí que la incorporación de los procedimientos provocadores del surrealismo sean muy apropiados. El autor propone una versión de la lírica en donde lo imperfecto, lo sucio y lo roto entran en juego. Hay una referencia por ejemplo a «ruidos inmundos» y en uno de los versos se mezclan alusiones al jazz y a la religión del Islam en una totalidad en donde la incoherencia es el estado de la cuestión:

a la paz   así
comprar el más mojado diario de la tarde
así

acertijos
o así
correo sur
cruz del sur

acertijos también

de esta manera opto por ser caníbal
porque de esta ruidos inmundos sifón
con averías desagües infinitos lejas
quemadas
jazz mahometano progresivo (vv. 8-20).

Hay muchas imágenes insólitas («sacrificios incaicos», «cariados dientes», «cadenas» y «un lobo»), que le sirven al poeta para arrasar la cultura establecida. El objetivo es desmantelar cualquier tradición que se haya convertido en el *status quo*. Arrasar es limpiar y es liberar para poder empezar de nuevo. Se menciona el nombre del tenor francés Robert Jeantal –el *Sinatra francés* de los sesenta y setenta–, alusión que sirve para poner de relieve el hecho de que lo que se entiende como *cultura* a nivel popular no es más que una melodía escapista, un engaño, un modo de distraer al individuo. El verdadero beneficio corresponde al negocio del entretenimiento. Las imágenes finales son muy dramáticas y aluden otra vez al canto suave del tenor pero el poema acaba con una gigantesca hoguera en donde está desapareciendo toda la cultura verdadera en una escena apocalíptica:

> *acercas tú la tea así de ese tenor*
> *con semejante insuperable garbo*
> *de cualquier forma ¿ves?*
> *se está quemando toda la CULTURA (vv. 43-46).*

Romper la sintaxis del verso con el collage es una forma de rebeldía. Ángel Luis Prieto de Paula comenta en la introducción a su antología de la obra de Martínez Sarrión –*Última fe. Antología poética, 1965-1999*– que, en un poemario como *Pautas para conjurados*, el texto desarticulado es una manifestación en contra de una tradición racionalista y logocéntrica:

> El avance expresivo ha ido muy lejos en la desarticulación textual, a la que contribuyen la sincopación fónica y sintáctica, el simultaneismo, el collage de motivos y de formas, la ausencia de puntuación jerarquizadora. En esa actitud lingüística hay una coherencia con los planteamientos iniciales, en cuyo altar se sacrifica el logocentrismo. El trayecto que había comenzado a recorrer el poeta lo conduce hasta un universo de señales en el que apenas hay algunas que escapen de la reflexividad tautológica y que permitan el reconocimiento o identificación de lo *déjà vu* antes o al margen de los versos (69).

El crítico comenta que cualquier tipo de culturalismo en poesía lleva necesariamente a un cuestionamiento de la cultura como verdad absoluta. No siempre se sabe lo que es una alusión cultural y cuando se sabe lo que es, tampoco se puede identificar o «cobrar sentido» para poder llegar a una completa transparencia (69).

Prieto de Paula ofrece una serie de comentarios sobre la formación de este poeta cuya educación sentimental incluye géneros que no son literarios (28). En los sesenta, había llegado a España la música de Bob Dylan, el poeta del rock *folk*. En los setenta, Martínez Sarrión dedica uno de sus poemas, «Ummagumma» –del libro *Una tromba mortal para los balleneros* (1975)– al álbum doble del grupo de música rock, Pink Floyd. De los Estados Unidos le interesa al escritor también la poesía *beat* de Allen Ginsberg y Jack Kerouac, una lírica diferente, libre, rebelde y experimental. El surrealismo pictórico de pintores como René Magritte e Yves Tanguy también está en la órbita de la educación sentimental del poeta.

Pautas para conjurados nace en el ambiente de las rebeldías de 1968. En las manifestaciones en París, los jóvenes demostraban su exasperación. El propósito era destruir el conformismo neocapitalista. La tensión llega a su máxima altura la noche de las barricadas, el 10 de mayo, día en el que miles de estudiantes acuden a las barricadas del Barrio Latino y la policía tiene que disolver a la fuerza la manifestación desplegando carros blindados por toda la capital francesa. Los poemas de *Pautas para conjurados* se escriben entre 1967 y 1969 y el libro se publica en 1970, dos años después *del mayo francés*. Con una fuerza poco organizada y sin dirección ideológica clara, se había dispersado aquella fantástica y efervescente posibilidad de revolución. Con ella se habían esfumado los sueños de transformación del mundo y Prieto de Paula indica que el libro «puede leerse como el testimonio de una deserción» (27). También explica Prieto de Paula que varios años después, durante el proceso de democratización en España después de la muerte del Dictador, Martínez Sarrión pudo observar que los proyectos revolucionarios para cambiar España se habían burocratizado. El poeta renuncia entonces a esos ideales revolucionarios que, unos diez años antes, los movimientos ciudadanos habían inspirado en él y en tantas otras personas. El crítico aclara que las rebeldías del 68 se convierten para los novísimos, en general, en un asunto histórico y literario: «la sublimación legendaria de sus héroes, la mitificación de sus valores, el sometimiento de éstos al sistema y, en fin, su procesamiento cultural a través de la nostalgia» (28). *Pautas para conjurados* es una crónica sentimental de esos años en donde el fulgor revolucionario va unido a la conciencia del fracaso. Al fin y al cabo, muy posiblemente el mayor logro del poemario sea su voluntad de ser una crónica generacional.

En el poema «Ritual de los apocalípticos» se puede comprender el proceso y la búsqueda de un nuevo vanguardismo. Es un proceso muy original pero lleno de desconciertos; es turbulento y calmado a la vez. El poema es una lista de reacciones y proyectos, hallazgos y digresiones. Se combinan diversas tareas: agitar a la conciencia de las multitudes con las armas del surrealismo, leer libros de teoría, analizar la honestidad de cualquier postura estética, pero el transcurso del poema lleva a la desorientación. La primera estrofa del poema termina, irónicamente, elogiando la única posible salida del laberinto que es valorar el culturalismo griego y helenístico de un poeta de la modernidad como Constantino Cavafis (los versos en el poema son largos: «teorías procedentes llegada de bárbaros instintos claros de autodestrucción Cavafis como lúcida salida»). Se busca la hermandad entre los poetas y el canto al amor y a los obreros, pero existe en el poema un aire neurótico. Hay imágenes que aluden a la violencia, a un revólver apunto de disparar:

Todos entrelazados cuando llegue el gran día Cantemos al amor de los amores Cantemos a la huelga Aquí se tira con calibre treinta con pólvora mojada con balas de oro con subjetividades neuróticas Las falsificaciones serán al punto desenmascaradas (vv. 17-19).

El collage es una técnica fundamental también en la poesía de Manuel Vázquez Montalbán, un escritor que utiliza este sistema para mezclar distintas referencias culturales (letras de canciones, poemas, teorías, manuales de instrucciones, películas y todo un repertorio de la cultura popular). Muchas de estas referencias son citas intercaladas que añaden un elemento de sorpresa cuando se pasa de una narración poética del autor a unos versos que son los de una canción. Un buen ejemplo es el poema «Conchita Piquer» de *Una educación sentimental* (1967). Las descripciones de los ambientes de la época de la posguerra española se unen con las animadas letras de las canciones y las coplas de Conchita Piquer.

Otro poema-collage de *Una educación sentimental* es el que lleva por título «Nada quedó de abril…». El autor elaboró este texto en 1963 mientras estaba en la cárcel de Lérida. El poema es la evocación nostálgica de un pasado alegre antes de una guerra que cambió el destino del país. El poema incorpora referencias a una visita a Barcelona del rey Alfonso XIII, posiblemente en 1929, y a dos políticos catalanes Francesc Cambó y Francesc Maçiá, el presidente de la Generalitat entre 1932 y 1933. El collage es una manera de organizar la secuencia de imágenes históricas que se van mezclando con las costumbres culturales de Barcelona. Aparecen referencias a un bar de gitanos y al tenor catalán Manuel Utor, llamado «El Musclaire» (1862-1946). También se incorporan las letras de una conocida canción catalana sobre los arrieros, la *Cançó de traginer* del poeta Josep María de Sagarra. Hay una referencia a la visita del monarca a la capital catalana y, justo después, se mencionan de manera discontinua objetos industriales típicos de la época como las máquinas de coser Sigma y Singer. Todos estos elementos constituyen un poema-collage que evoca de manera muy verosímil el ambiente de la época:

> *los gitanos del Bar Moderno, tamboril*
> *de silla, canción de salmuera o la voz*
> *del musclaire*
> > *arri Joan que l'arròs*
> *s'està covant*
> *felices tiempos de reyes asequibles,*
> *Alfonso XIII borbónico y flemático pasaba*
> *como pasan los reyes, con majestad,*
> > *por el ensanche*
> *cuando íbamos a entregar los largos*
> *calzoncillos de felpa a Inogar Hermanos*
> > *Confecciones*
> *grises atardeceres de máquina Sigma,*
> *Wertheim, Singer*
> > *Singer, me inclino por la Singer*
> > > *cansa*
> *menos los riñones, pero una tarde de abril*
> > > *entonces*
> *en el rompeolas, compensaba trescientos*
> *sesenta y cuatro días de viajes ensoñados (vv. 18-37).*

El poema tiene cualidades vanguardistas que se evidencian en la fragmentación del discurso. Los fragmentos producen discontinuidades en el poema. Las digresiones, sin embargo, son parte de una totalidad que combina imágenes, objetos, canciones, términos y palabras aisladas. Esa totalidad ofrece sin embargo una representación bastante verosímil de la época. Una característica muy posmoderna es la mezcolanza de elementos de la cultura distinguida, como la mención de la visita ceremonial y suntuosa del Rey, con elementos de la cultura popular que van desde la cocina hasta la ropa.

A parte de Filosofía y Letras, Vázquez Montalbán también estudió Periodismo en la Universidad de Barcelona y ejerció esta profesión desde muy pronto en la capital catalana trabajando para el diario *Tele/eXpres* y como articulista en la revista *Triunfo*. Las creencias políticas del autor, su vinculación al comunismo, se pueden explicar con estas palabras del filósofo Josep Ramoneda: «su relación con el comunismo fue un modo de sellar la fidelidad del intelectual prestigioso que surgió de las clases más castigadas por el franquismo con el niño que se cruzó en la escalera de su casa del Raval con un señor que no reconoció y que resultó ser su padre que regresaba de las cárceles franquistas» (1).

Al escritor barcelonés también le interesaron temas relacionados con la sociedad de consumo. En «Poema publicitario» de *Manifiesto subnormal* (1970) se dedica a parodiar el fenómeno de la publicidad comercial. El título del poema, sin embargo, en vez de ser una palabra o una frase, es un párrafo largo en el cual se menciona que el poeta ha mandado su poema publicitario a la compañía Unilever para ayudar en el proceso mercantil de la promoción de un nuevo detergente cuyo nombre es Antraz. En el texto poético que sigue, después del título, hay discursos publicitarios que se mezclan con versos irónicos en un collage:

> *mejor y más limpio, el Antraz, dejará*
> *sus pasos sobre la playa, borrará las huellas*
> *de sus dedos en las gargantas*
> *en los infiernos musgosos donde muere el vientre*
> *de la odalisca disfrazada de novia con retícula*
>
> *limpie la sombra de las muchachas en flor*
> *limpie la flor de las muchachas en sombra*
> *(Antraz es asombroso) (vv. 51-57).*

La habilidad de manejar distintos discursos es la característica más sobresaliente de un poema que incorpora el anuncio publicitario y referencias a la novela de Marcel Proust, *A la sombra de las muchachas en flor*. La intención es revelar las técnicas de manipulación de la publicidad a través de la hipérbole que logra una sátira de las cualidades milagrosas del producto de limpieza. El escritor conoce bien el lenguaje de los anuncios pero el objetivo es burlarse de la manipulación mercantil.

Desarrolla Vázquez Montalbán un culturalismo que une lo elevado y lo popular de manera fluida. Manuel Rico comenta que al mismo tiempo que el poeta busca nuevas formas de expresión, logra también «aunar, en el espacio del poema, la cultura popular y la cultura más elaborada. Concha Piquer podía convivir con T. S. Eliot; los rostros vencidos en la sala de espera de un consultorio del "seguro obligatorio de enfermedad", con Françoise Hardy, y el preso político, con Ella Fitzgerald» (1).

Stephanie Sieburth ofrece una serie de apreciaciones críticas que son útiles para entender la mezcla de elementos que provienen de la cultura alta y de la popular. Sieburth explica que el consumismo y la cultura de masas convivían, en esta época en España, con modos más tradicionales. Existe una tensión constante en los sesenta y comienzos de los setenta entre la modernización y el típico conservadurismo hispánico. El turismo es fundamental como apertura pero se desarrolla dentro de un sistema político que valora tradiciones españolas como el autoritarismo político y la moral católica (19). Elementos de la cultura popular como las canciones, las películas y la moda, en general, son esenciales para representar una historia colectiva realmente vivida y compartida con los demás, en vez de una mera colección de datos históricos (21). Vázquez Montalbán sabe captar en el poema esta simbiosis cultural entre lo moderno y lo tradicional ofreciendo una imagen bastante fidedigna de la España de esta época. Lo hace desde el contexto de una realidad metropolitana como Barcelona, en donde se mezclan de por sí, en la vida cotidiana de la ciudad, tantos elementos de la cultura elevada y la popular.

Manuel Vázquez Montalbán fue un escritor asombrosamente polifacético, dedicado a distintas actividades literarias, desde el articulismo hasta la narrativa. Fue uno de los novelistas más importantes de su generación logrando el éxito comercial con la serie detectivesca del personaje Pepe Carvalho, y uno de los escritores más prolíficos con una multitud de obras narrativas, entre las cuales destacan *Yo maté a Kennedy* (1972), *Los mares del Sur* (1979), *La rosa de Alejandría* (1984), *Galíndez* (1990) y *Autobiografía del general Franco* (1992). Su cultura fue siempre metropolitana, la de la ciudad de Barcelona. Estuvo vinculado a la izquierda europea, había creído y luchado por los ideales sociales –y no descartaba su validez moral– pero se encontraba en una época en donde ya no tenían la misma vigencia.

Las tres variantes vanguardistas presentadas en este capítulo –la de Gimferrer, la de Martínez Sarrión y la de Vázquez Montalbán– demuestran que en la generación existen diferencias sobre el asunto de la relación entre poética y expresividad artística. Gimferrer acentúa la manera de expresar una intensa experiencia estética, influida por la memoria, el arte y el cine. El neosurrealismo de Martínez Sarrión es un modo de agitar la conciencia con imágenes insólitas. En Vázquez Montalbán, hay un elemento sociológico que hace referencia simultáneamente a lo culto y a la sociedad de masas. En algunos de los otros poetas del grupo las diferencias también son notables. La poesía de José-Miguel Ullán desemboca en una posición extrema. Su poesía concreta se convierte en un inteligente sistema de significación en donde el poema se descoyunta y se presenta como una organización de palabras sobre la página.

Era evidente, hacia el final de los sesenta, que los tiempos habían cambiado y el género de la poesía tenía que reflejar las transformaciones sociales, culturales y estéticas. Un buen ejemplo es la anécdota que cuenta Félix de Azúa en un artículo sobre la muerte de Vázquez Montalbán en el periódico *El País* el 20 de octubre del 2003 (el escritor fallece en Bangkok el 18 de octubre). Azúa cuenta que fue invitado a una reunión amistosa en la casa de José María Castellet para hablar de la futura antología de 1970 y también del futuro de la poesía española y de las nuevas voces generacionales. El evento reunía a jóvenes como Azúa y Gimferrer pero también acudiría a la cita Manuel Vázquez Montalbán, cinco años mayor que Azúa y ya conocido en Barcelona como un respetado y temido columnista de la izquierda, una importante figura intelectual de la resistencia antifranquista en Cataluña:

> Yo estaba emocionado –le había leído todo lo publicado y seguía sus artículos de *Triunfo* como ya nunca he podido leer a ningún periodista– y creo que también lo estaba Gimferrer... Llegó Vázquez Montalbán. Saludó con un breve golpe de cabeza casi imperceptible, se sentó en el sofá con los codos apoyados sobre las rodillas y las manos cruzadas. Nos miró de hito en hito, muy serio, y dijo: «La poesía es un arma cargada de futuro». Guardó un silencio expectante. Estábamos helados. Y entonces se le escapó la risa. «Ya la he fastidiado, anda, José María, saca el whisky». No dejamos de reír en toda la tarde. Desde aquel día en que Vázquez Montalbán se convirtió para mí en Manolo, no he dejado de reírme con él cada vez que nos hemos encontrado. El futuro sólo merece una carcajada (1).

La anécdota revela el hecho de que en ese entonces no se conocían todavía las características del cambio poético. Con la publicación de *Nueve novísimos poetas españoles* en 1970 quedaría claro que había surgido una renovación. Con el tiempo se ha entendido que la generación representaba una nueva vanguardia que se cuestionaba lo que era el fenómeno poético y lo hacía explorando las posibilidades expresivas del poema. Pero es importante entender que el vanguardismo del 68 pasó por un proceso de reivindicar la autonomía de la creación poética.

En *Musa del 68. Claves de una generación poética*, Ángel Luis Prieto de Paula ofrece una serie de matizaciones importantes sobre el tema del vanguardismo. El crítico reconoce que entre 1965 y 1970 hay una valorización de la creatividad vanguardista que supone un cambio de actitud con respecto al desinterés en las generaciones inmediatamente anteriores. Al mismo tiempo, esta nueva manera de apreciar las vanguardias de los años veinte no se convierte en el emblema definitorio de la generación. Se recupera un vanguardismo olvidado que había quedado como reliquia del siglo. Se utilizó pero éste estaba, según el autor, «metabolizado por el discurso cultural que se aprovechaba de sus hallazgos al mismo tiempo que neutralizaba la potencialidad transgresora de aquélla» (204). Es decir, pasó por un proceso de digestión cultural en el que se adaptó a las nuevas condiciones culturales de los sesenta quitándole la capacidad de agitación que tenía en las primeras décadas del siglo. El nuevo vanguardismo aparece con cierto grado de ironía que apunta, una vez más, hacia una postura que se puede calificar como posmoderna.

Prieto de Paula le da bastante importancia también a la poesía visual y experimental de la España de los sesenta y setenta. El crítico menciona el *Grupo Zaj*, el *Grupo N. O.* y *Parnaso 70*, así como el protagonismo del poeta Fernando Millán (205). Estos grupos estuvieron influidos por la poesía concreta, iniciada por el grupo brasileño *Noigandres*, fundado en 1952. Estas iniciativas ponían de manifiesto la importancia que tenía en esta época la exploración artística y la indagación en las fronteras entre lo literario y lo visual. Prieto de Paula declara, sin embargo, que en España «la importancia de la vanguardia visual es bastante limitada, si no atenemos a las obras producidas por ella y al número de sus practicantes» (207). No obstante, poetas visuales como Fernando Millán –en 1964 parte del grupo de vanguardia *Problemática 63*, creado por el poeta uruguayo Julio Campal– representarían el deseo de reflexionar sobre la capacidad sígnica de la poesía, cuando el signo se adentra en el mundo visual para explorar el carácter semiótico del lenguaje. Los textos visuales de Millán combinan palabras, signos y fotografías para crear un poema-poster que habla de la audacia de pensar de manera diferente.

El egipcio Ihab Hassan, uno de los teóricos emblemáticos de la posmodernidad, comenta en un artículo titulado «Toward a Concept of Postmodernism» que las vanguardias de la modernidad daban la sensación de estar arropadas por una autoridad altiva, llena de brío y coraje, con la cual se atacaba la complacencia burguesa (280). Si la modernidad era hierática y formalista, la posmodernidad, por el contrario, se presenta como juguetona y deconstructivista. El vanguardismo posmoderno es menos fervoroso, menos «caliente», menos beligerante que el de la modernidad. Una de las contribuciones de Hassan es su famosa tabla de contrastes en la cual se diferencia lo moderno de lo posmoderno. Si la modernidad le daba importancia al diseño, por ejemplo, lo posmoderno valora el azar; la modernidad era jerárquica mientras que la actitud posmoderna es anárquica. En la modernidad se buscaba el centro, mientras que a la posmodernidad le interesa la dispersión. Hassan es el autor de un libro que fue fundamental en los estudios de la posmodernidad: *The Postmodern Turn: Essays in Postmodern Theory and Culture* (1987).

Estas comparaciones que ofrece Hassan de manera muy didáctica sirven para demostrar que el vanguardismo del 68 es distinto del que existió en los años veinte y treinta. Los novísimos se sienten muy cómodos con los nuevos medios culturales: el pop, el cine y el *kitsch*. Lo que consiguen, al valorar las vanguardias clásicas de antaño, es entender que éstas acentuaban el carácter formal de la creación artística —es decir, el lenguaje, el signo y el discurso—. Para una verdadera ruptura estética había que tomar en cuenta los aspectos formales ya que la cultura, que en el fondo es el gran tema de esta generación, es en sí también una forma, un tipo de lenguaje.

Dentro de la vertiente vanguardista de la promoción, el papel de Antonio Martínez Sarrión es fundamental. En sus poemas se pueden combinar elementos completamente diversos en una totalidad en donde la sintaxis se rompe. Ilusionado con la revolución juvenil de 1968, el autor luego se desencanta, pero su lírica contiene una mezcla de energía intelectual y de sabiduría estoica. El surrealismo del poeta es una manera de valorar lo anárquico y lo azaroso en la vida humana al mismo tiempo que se estima la libertad creativa sin restricciones de ningún tipo. En su largo estudio del poeta en *Última fe. Antología poética, 1965-1999*, Prieto de Paula explica que Martínez Sarrión considera que el intelectual europeo suele vivir de manera desconectada; vive, en el fondo, como un fantasma en la sociedad (72). *Pautas para conjurados* es un libro importante porque, según el artículo de Díaz de Castro y de Olmo Iturriarte, el pronosticado fracaso de la revolución de 1968 «lleva a la liquidación simbólica de toda la cultura en una pira en la que arden tanto las realidades inamovibles como los entusiasmos de vanguardismo juvenil» (161). El desencanto conduce a una teatralización barroca del final de la cultura, en una explosión de fuegos artificiales. Esta imagen es adecuada para explicar que la actitud escéptica, tan típica en la posmodernidad, adquiere aquí una energía barroca. El momento es apocalíptico y el lenguaje del poema es ostentoso y rimbombante. La pomposidad poética tiene que ver con un siglo que avanza hacia un final que es, a la vez, neurótico e intensamente cuerdo. Debicki explica que el tema central de *Pautas para conjurados* es la desintegración y la decadencia del arte. El crítico también acentúa el esfuerzo por encontrar significados en el arte (152).

CAPÍTULO 7

EL TEMA DE LA AUTO-REFLEXIVIDAD: ARTE, ESTILO Y TEXTUALIDAD

E L concepto de la autonomía del poema relaciona a los poetas del 68 con la posmodernidad a través de un asunto esencial que es la auto-reflexividad. Charles Russell estudia esta cuestión en su ensayo de 1980, «The Context of the Concept». El pensador localiza en los años sesenta un cambio en la mentalidad artística y literaria basada en la reflexión sobre los límites y las posibilidades del lenguaje, mentalidad que se advierte en el proceso de escribir o de crear el objeto artístico. De manera más amplia, se puede observar esta relación entre lenguaje y significación en discursos diversos que pueden no sólo ser estéticos o literarios sino también semióticos o ideológicos (289). Russell comenta que la predisposición a darle importancia al *lenguaje* y a los códigos de significación de la cultura se puede observar en el arte conceptual de Joseph Kosuth y también en la nueva novela francesa. En el continente americano se puede percibir en autores como Jorge Luis Borges, Julio Cortázar, Vladimir Nabokov, Robert Coover y Thomas Pynchon, por citar algunos de los nombres mencionados en el ensayo.

Observa también Russell que la tendencia auto-reflexiva o auto-referencial en los sesenta demuestra un renovado interés en la obra de Marcel Duchamp (1887-1968), especialmente su famosa fuente de 1917 en la que el artista utiliza un orinal que, al estar posicionado de lado, se transforma y pasa de ser un producto funcional a ser un objeto artístico (291). Lo que antes se interpretaba como un juego irónico en este artista, en la posmodernidad se considera como una reflexión mucho más seria sobre las premisas del arte y sobre sus límites. Los artistas de los años sesenta como Kosuth aprendieron de Duchamp la posibilidad de la auto-reflexividad. Al situar un orinal de baño para hombres en otro contexto —en un museo o una galería—, Duchamp estaba desmitificando la idealización implícita en el arte de la modernidad, es decir, la idea de que el arte nuevo era algo superior lleno de significados. La ironía de Duchamp corresponde a lo que el creador posmoderno está intentando hacer. La posmodernidad no está interesada en hablar sobre el mundo sino acentuar el hecho de que siempre se está *hablando* sobre algo, es decir, se hace referencia a la actividad en sí, a esa predisposición a hablar, no interesa tanto el mensaje final ya que pueden existir muchos. Lo que consigue Duchamp con el objeto es interpretarlo de manera completamente distinta. Se logra un cambio de identidad total. La manera de *mirar* de Marcel Duchamp es lo que interesa mucho en la posmodernidad.

Para un crítico como Charles Russell la posmodernidad tiene el beneficio de poder enseñar al público la capacidad que tiene el lenguaje de ser un factor de poder y de transformación. El lenguaje presupone la importancia del discurso, el cual determina lo que se puede decir en un cierto momento cultural y cómo el individuo o el colectivo logra concienciarse de este tipo de poder (297). Con una concienciación más profunda de cómo el lenguaje es una manera de poder es posible actuar y cambiar una cierta situación. Pero todo comienza con la reflexión sobre el lenguaje y el discurso.

El tema de la auto-reflexividad ayuda a entender las diferencias que existen entre los diversos poetas sesentayochistas. Aunque el tema se advierte en poemas dedicados específicamente al tema de la metapoesía, también se puede entender que toda la poesía de la promoción –al ser una reflexión sobre el discurso artístico o cultural– es siempre auto-reflexiva. Desde el culturalismo enciclopédico de Guillermo Carnero y el jeroglífico lingüístico de José Miguel Ullán hasta el poema-canción en Ana María Moix, hay muchos indicios de una tendencia a la auto-referencialidad.

Si la poesía posmoderna depende del discurso, la estética y el lenguaje, no existe por lo tanto ningún principio racional o filosófico que realmente lo justifique. Al fin y al cabo, todo depende de la peculiar sensibilidad del escritor. La sensibilidad no está sujeta a una idea que la dirija sino más bien es una manifestación individual. Este es un tema que aborda Guillermo Carnero en «Lo que no es exactamente una poética», su ensayo dedicado a la poética en la antología de Castellet. Para Carnero no existe una teoría que explique adecuadamente lo que es la escritura lírica. Pero sí se puede decir, de manera más flexible, que la poesía es el resultado de un cierto estilo:

> Poetizar es ante todo un problema de estilo. Un estilo efectivo da carta de naturaleza a cualquier motivo sobre el que se ejercite. La recíproca es una barbaridad: no hay ningún asunto, ninguna idea, ninguna razón de orden superior. Ningún sentimiento respetable (quedan poquísimos), ningún catálogo de palabras nobles, ninguna filosofía (aunque esté cargada de futuro) que por el hecho de estar presente en un escrito lo justifique desde el punto de vista del Arte (199).

Al proponer que la poesía es una cuestión de estilo, Carnero está ofreciendo una perspectiva muy amplia que no excluye otras maneras de pensar y, en este sentido, la definición del escritor corresponde a la actitud pluralista típica en la posmodernidad. Lo que sí se puede advertir en el ensayo de Carnero es el hecho de que no existe la misma euforia que había existido décadas antes ante una idea totalizadora, como si ésta, ahora, en esta época, no fuese realmente necesaria. Es evidente que, desde el contexto del final de los sesenta, jóvenes intelectuales como Carnero han visto pasar tantas teorías que ya no hay una fe absoluta en la justificación filosófica. Todo es mucho más relativo.

Otro asunto que se debe comentar es el de la relación del estilo con la intertextualidad. Al estudiar la poesía de Carnero, Ignacio Javier López explica que la referencia culturalista en este poeta es esencialmente un diálogo con la tradición, con el pasado. López acude a una serie de comentarios de Matei Calinescu para explicar la dimensión posmoderna de esta práctica en Carnero. Los comentarios pertenecen al libro *Five Faces of Modernity* en el que se dedica un capítulo al tema del arte y la arquitectura posmoderna, «The Novelty of the Past» (la novedad del pasado). Calinescu comenta que la estética en las disciplinas artísticas de la posmodernidad se basa esencialmente en el arte de citar, es decir, en las referencias al pasado (la intertextualidad histórica). Para Calinescu la posmodernidad es «esencialmente anotadora» y se sitúa en claro contraste con las prácticas de la modernidad vanguardista (217).

Ante la euforia de lo nuevo, el arte vanguardista de la modernidad quería eliminar la intertextualidad histórica ya que era un lastre que no permitía nuevas maneras de pensar. En el terreno de la arquitectura moderna, por ejemplo, esta actitud se percibe en la arquitectura racionalista de Le Corbusier que se basa en la creencia que la industrialización del siglo XX pide una nueva estética funcionalista. Para Le Corbusier era imperativo cortar con los estilos de la decoración del siglo XIX (el neoclasicismo, el neogótico, etc.). Explica Calinescu que la cita arquitectónica (la decoración) es fundamentalmente «impura» en arquitectos de la modernidad como Le Corbusier (285).

La necesidad de arrasar con la historia, de inaugurar un nuevo período completamente moderno es una de las principales hazañas de la modernidad. Se puede observar esta tendencia no sólo en la arquitectura sino también en la pintura cubista cuyo objetivo era superar la pintura figurativa y realista del siglo XIX. En un edificio o en un lienzo lo que importaba era la creación de un mundo nuevo, divorciado del pasado. El cubismo es una analogía apropiada porque el estilo pictórico se basa en el concepto de la abstracción que es una forma de idealización (lo que intentaban los cubistas – Picasso, Braque y Gris– era superar el realismo del XIX). La modernidad, por lo tanto, tiene una vocación idealizadora. En el mundo de la poesía también se percibe esta tendencia al valorar la idea por encima de la realidad. Paul Valéry, Wallace Stevens, T. S. Eliot, Ezra Pound y André Bretón son poetas de ideas como también lo son los españoles Jorge Guillén, Federico García Lorca y todos los miembros del 27. Las ideas se comunican a través de las metáforas, las cuales presentan el mundo de manera nueva y en el caso, por ejemplo, del surrealismo de Lorca en *Poeta en Nueva York,* de manera completamente insólita.

Por el contrario, el creador posmoderno tiende a tomar en cuenta las prácticas culturales del pasado porque en ellas encuentra el *proceso* de la creación, y también los mismos retos a los que se enfrentaban artistas o escritores en el pasado. También se establece un diálogo entre pasado y presente que tiene mucho que ver con la vida en una época en la que las grandes narrativas del progreso han decepcionado. Estas grandes causas o estos ideales de la modernidad ya no tienen la misma validez después de las contradicciones de un siglo, el XX, que ha estado tan salpicado con violencia y represión política (guerra, totalitarismo, discriminación racial, etc.). Por lo tanto, la justificación filosófica o incluso religiosa de una gran narrativa legitimadora, se ve con cierto recelo.

En el caso de Carnero, la relación con la historia de la cultura es importantísima en su poesía y muchos de sus libros tienen correspondencias con el ambiente de bibliotecas y de museos. Lo que le interesa al poeta es la cultura no tanto como teoría sino como costumbre o como práctica. La fascinación que tienen los poetas del 68, a nivel general, con el pasado literario se basa en un interés no sólo en los temas sino también en el estilo de los escritores admirados. En *Arde el mar*, por ejemplo, Gimferrer incorpora un poema-homenaje al escritor italiano Gabriele D'Annunzio (1863-1938) vinculado al movimiento del Decadentismo. El poema «Sombras en el Vittoriale» hace referencia a la residencia del escritor cerca del lago de Garda en donde vivió durante sus últimos años. D'Annunzio trabajó la novela, el teatro y la poesía. El texto de Gimferrer alude a la relación política que el escritor mantuvo con el fascismo italiano. El escritor fue una de las grandes figuras de una ideología que hubiera podido llevarle a liderar el país, aunque fue Benito Mussolini el que accedería al poder a mitad de los años veinte. Fue D'Annunzio también el que inventó los rituales del fascismo italiano: el saludo desde el balcón, el saludo romano y la retórica política.

El poema que Gimferrer dedica al escritor italiano se titula «Sombras en el Vittoriale». Los asuntos políticos se convierten en una anécdota biográfica y quedan borrados por el hecho que Gabriele D'Annunzio fue uno de los grandes estilistas de la lengua italiana:

> *Aquí vivió.*
> *Tuvo el don de decir con verdad la belleza,*
> *aquélla (belleza o verdad) tan suya, tan sentida*
> *desde los fríos de Pescara y el misterio*
> *de sus voces secretas.*
> *Qué importa lo demás, el salón o la alcoba,*
> *el concierto de cámara, el artificio, el juego*
> *del amor y de la muerte, qué las guerras absurdas*
> *donde no hurtó el peligro, qué el cesarismo estéril y corrupto*
> *en que había de morir el más noble de sus sueños (vv. 13-22).*

Lo curioso del texto de Gimferrer es que, aunque fracasaron al final los ideales fascistas de Gabriele D'Annunzio, su obra sigue vigente por su calidad estilística y por novelas como *L'innocente* (1892), *Il trionfo della morte* (1894) y un libro que contiene algunas de las más admirables descripciones de Venecia, *Il fuoco* (1900). Como correlato objetivo, el escritor italiano viene a representar para Gimferrer el fervor esteticista de su propia promoción.

La relación entre la auto-reflexividad posmoderna y el mundo del arte es una cuestión importante ya que el arte es un paradigma idóneo para expresar y representar el proceso de la creación. La obra artística contiene en sí, en su propio cuerpo, una investigación sobre el tema del lenguaje. Esta reflexión hace pensar en el comentario de Guillermo Carnero sobre la poesía. Si poetizar es una cuestión del estilo, entonces este término se puede definir como la habilidad de usar un tipo de lenguaje de manera artística. Si un libro como *Arde el mar* fue revolucionario y marcó el comienzo de la ruptura con la época anterior es porque en él se advierte un lenguaje estético distinto. Este tipo de lenguaje es exquisito y primoroso.

En *Dibujo de la muerte* Carnero incluye varios poemas dedicados a la pintura. Hay composiciones ecfrásticas sobre obras de Giorgione, Jean Antonie Watteau y Giorgio de Chirico. Carlos Bousoño ofrece una serie de observaciones sobre el tema del arte en Carnero en un ensayo publicado en 1979 en una antología de poemas del poeta valenciano, publicada por la Editorial Hiperión. Bousoño explica que Carnero busca la inspiración en la pintura porque para él la literatura es una ficcionalización de la vida. Como tal, la vida nunca puede llegar a considerarse una representación fiel y realista (34-35). En *Dibujo de la muerte* las descripciones poéticas se suelen sacar de cuadros, de obras literarias o de personajes de la historia de la cultura. Ignacio Javier López explica que para Carnero el poema «no se refiere a la realidad inmediata de que parte o en que vive el autor... sino que crea un mundo propio en el que el lenguaje cotidiano pierde su cualidad puramente denotativa para cargarse de una emoción» (35). Las apreciaciones críticas de Carlos Bousoño y de Ignacio Javier López explican que el objetivo no es representar la realidad sino explorar la emoción estética a través del objeto artístico. Lo que importa es la pasión artística como experiencia lingüística en el poema.

El poema de Carnero titulado «Tempestad» está dedicado al famoso cuadro que pintó el maestro Giorgione entre 1506 y 1508. Su verdadero nombre era Giorgio Barbarelli da Castelfranco y vivió entre 1477 y 1510. El cuadro pertenece a la época artística del alto renacimiento veneciano y es uno de los lienzos más emblemáticos de

este período en la historia del arte. Carnero ofrece un texto ecfrástico en el que se explora la emoción que provoca esta pintura a través
de un lenguaje altamente sofisticado. El cuadro retrata una escena
pastoril al lado de un río. Una mujer semidesnuda tiene un bebé en
sus brazos y al otro lado hay un soldado de pie con una lanza. La
escena se ve interrumpida por una inminente tormenta en los cielos
lejanos detrás del pueblo en el fondo del cuadro. Los vientos fuertes
comienzan a sacudir las ramas de los árboles creando un sentimien-
to de miedo en la mujer, una persona misteriosa que podría ser una
gitana viviendo fuera de la ciudad. Existe tensión en el ambiente.
La paz de la mujer se enfrenta a la violencia de la naturaleza.

Para describir ecfrásticamente la pintura, Carnero utiliza versos
llenos de palabras hermosas, algunas de las cuales pertenecen al
mundo de la flora, como «nenúfares blancos» o «cítisos azules». La
verde tranquilidad de la escena, sin embargo, se ve amenazada repentinamente por el comienzo de las gotas de la lluvia:

> *Desnudos son los árboles, desnudos*
> *los juncos en el río. Ruedan blancos*
> *nenúfares cortados, aletea*
> *acá y allá la espuma. Entre la fronda*
> *emergen las luciérnagas, pupilas*
> *que temen a la luz. Cae una gota*
> *sobre el helado frío de las lanzas (vv. 9-15).*

La tormenta se describe con imágenes sangrientas que le dan al
texto una dimensión de deseo sexual. Una muchacha es perseguida
por una naturaleza estremecida y excitada que parece desear o tal
vez violar su cuerpo:

Rugir a los cielos las gargantas
abrasadas de sangre. Los arroyos
lavarán los sangrientos cortinajes
y el cálido plumón pisoteado.
Un concierto de garras y zarcillos
ambiciona tu cuerpo (vv. 26-31).

El poema culmina con una cierta tranquilidad al insinuarse la llegada de la luz después de la tormenta, pero lo hace con imágenes atrevidas como los blancos caballos con guirnaldas de flores. El poema contiene un aire barroco en la acumulación de imágenes plásticas y sensoriales. En *Dibujo de la muerte*, este tipo de poema ecfrástico sirve para poner de relieve el tema central que es la extraña y misteriosa simbiosis entre la belleza y la muerte. Si Carnero desarrolla el culturalismo a través de la literatura y la historia, también lo hace a través de la pintura.

«La tempestad» es una interpretación de una célebre pintura italiana, pero Carnero insinúa que toda escritura poética es también una interpretación. El poema es sobre un lienzo que, a su vez, es una versión que ofrece Giorgione del género pastoril. El pintor sitúa la escena en un contexto en las afueras de la ciudad y en un momento dramático de cambios en la naturaleza. La auto-reflexividad implícita se debe al hecho de que el texto es un documento verbal que se basa en otro texto que es visual. Se establece por lo tanto una correspondencia entre escritura y pintura. ¿No es la poesía una interpretación o recreación de textos? ¿No es este tipo de recreación, siguiendo la lógica, el quehacer verdadero de la producción lírica?

Al estudiar la auto-reflexividad en la promoción del 68 es conveniente también hacer referencia a la siguiente década, la de los años setenta. En *Antología de la poesía española (1960-1975)*, Juan José Lanz sitúa a *Ritual para un artificio* de Jenaro Talens (1971) junto con *Els miralls* (1970) de Pere Gimferrer y *El sueño de Escipión* (1971) de Guillermo Carnero, en una época en donde domina la actitud metapoética en la generación (53). Lanz resume de la siguiente manera los rasgos de esta época que está más allá del fervor estético inicial:

> La progresiva decantación y depuración de elementos extraños en una escritura que se plantea la relación del lenguaje con la realidad en el poema conlleva una expresión mínima y fragmentaria, desnuda de elementos innecesarios, en la que cada palabra crea un mundo de relaciones y sugerencias... una *crisis del lenguaje* en su sentido más profundo, no sólo ante un lenguaje establecido que veían como incapaz de adecuarse a la expresión de la verdadera realidad, sino también ante un lenguaje incapaz de desarrollar nuevas posibilidades significativas (55).

La auto-reflexividad tiene una presencia importante en la poesía de Jenaro Talens, un autor nacido en Tarifa, Cádiz, en 1946. Talens ha desarrollado importantes labores como traductor, profesor y ensayista, y su obra poética tiene una dimensión teórica. Ha traducido a Shakespeare, Brecht, Samuel Beckett, Wallace Stevens y poetas alemanes como Ernst Stadler, Georg Heym y Georg Trakl. También ha tenido una actividad docente fecunda. Como profesor invitado, ha enseñado en universidades como las de Minnesota, la Technische de Berlín y la de Buenos Aires. Fue catedrático en la Universidad de Ginebra en Suiza y es miembro del Departamento de Teoría de los Lenguajes y Ciencias de la Comunicación de la Universitat de València. En 1997 recibió el premio Loewe de poesía.

Ritual para un artificio es el quinto libro de poemas del autor y «Faro Sacratif» es uno de los poemas importantes. El título hace referencia a un faro en la provincia de Granada en Torrenueva. De ahí que el faro –como estructura situada sobre el mar en las montañas granadinas– venga a ser una metáfora de la poesía. La composición está dividida en varias secciones y el autor presenta una interpretación metapoética. La poesía es una manera de ordenar los símbolos:

> *Ordenación simbólica,*
> *si como símbolo consideramos*
> *el arbitrario modo de reconstruir*
> *con fragmentos dispersos,*
> *significando que las convenciones*
> *permiten esbozar, en un vacío,*
> *sin nombre, la unidad,*
> *que ya es historia (vv. 1-8).*

Talens alude al concepto de que todo poema, al ser escrito y por tanto finalizado en la página, es parte de la «historia». El poeta utiliza esta palabra con un doble sentido. En la segunda sección continúa esta interpretación. La manera de ordenar y dar unidad a lo simbólico deja de tener una presencia actual y entra a formar parte del tiempo:

> *Historia, sí; su frío*
> *redimiera del tiempo de morir.*
> *Esta montaña tiene*
> *caminos escarpados, donde jamás las voces llegarían;*
> *que no la habite nadie,*
> *ni las alimañas*

cruzan sobre este polvo y estas rocas
con ruinoso verdín (vv. 1-8).

El lenguaje no puede verdaderamente describir la realidad porque el poema deja de tener *actualidad* al ser escrito, al llegar a su fin en el proceso de la escritura. La sensación de que la palabra poética es huidiza en el texto produce desazón. En la sección cuarta, la pérdida se relaciona con la ausencia del mundo mágico de la infancia:

> *Toda historia es dolor,*
> *y el dolor es historia:*
> *la construida rosa de la resurrección.*
> *Imaginemos un jardín.*
> *Un jardín entre muros donde la bugambilia*
> *crezca sobre andamiajes*
> *que una mano plantó.*
> *Y hay dalias, boj, enredaderas.*
> *Es un jardín pequeño,*
> *sin concreción de tiempo ni espacio.*
> *Sólo una luz: infancia.*
> *Infancia, sí; pasado,*
> *ese extraño país*
> *donde todo sucede de manera distinta (vv. 1-14).*

La auto-referencialidad adquiere en los versos de Talens una dimensión temporal que es una profundización en la concepción metapoética. Esta dimensión fortalece la explicación de que toda poesía es una manera de contar historias. Lo que queda no es tanto el tiempo como categoría metafísica, sino la historia de ese tiempo, es decir, la ficcionalización del tiempo. Esta concepción está muy cerca de las teorías posmodernas sobre la literarura como representación y como simulacro. Lo que consigue Talens no es introducir un nuevo concepto, sino explicarlo con esta dimensión temporal. Si para Guillermo Carnero la poesía es sobre todo una cuestión de estilo, Talens explora la escritura poética como fenómeno dentro del pasar del tiempo.

Desde las páginas de *Fablas, Revista de poesía y crítica,* Juan José Lanz ofrece en el año 2007 una serie de comentarios críticos sobre *Ritual para un artificio.* El crítico comenta que para Talens el lenguaje poético «convierte al mundo objetivo en una falsificación de sí mismo» (99). Lo que le queda es la reflexión sobre «los propios recursos utilizados por el lenguaje en esa otra realidad que es el poema» (99). La visión de Talens es por lo tanto metapoética y, en comparación con los otros miembros de la generación, es el escritor que más reflexiona sobre la dimensión textual y semiótica del acto creador. El papel de Talens en el grupo sesentayochista es el de aclarar que la escritura de poesía es un proceso de concienciación intelectual, es la conciencia de la innegable *textualidad* del poema. Lo deja muy claro en el poema «Informe general», texto perteneciente al libro *Rumor de lo visible* (publicado en la antología *El largo aprendizaje. Poesía 1975-1991.).* El poema no es un verdadero texto lírico porque no comunica ni representa quién es *verdaderamente* la persona que lo escribe. El que lo escribe se reconoce en la escritura pero ya no es la persona que lo escribió:

> *Esto que veis aquí no es un poema.*
> *En su corteza apenas permanece*
> *nada de mí. Las ripias del tejado*
> *son como piedras de colores. En*

su irisación me reconozco, un hábito difuso
de fragmentar los cuerpos, los paisajes
esa materia prima que no soy,
aunque me finja sin rencor, el aura
de unos objetos que me apropio, que
hago hablar con mi boca,
oculto en la piedad de la sustitución (vv. 1-11).

El poema parece ser independiente de la persona que lo ha escrito. El autor se sitúa fuera del texto con una actitud irónica con respecto a la idea de la *autoría*. La ambigüedad es intencionada. Esta posición –*fuera* de la realidad textual, desde la cual se interpreta lo que es verdaderamente el texto– es fundamental para entender la poesía de Talens. Al mirar el texto con distancia, queda también clara la relación comunicativa con el lector, así como la del autor y la del texto en sí como partes integrantes de un sistema semiótico. En Talens las reflexiones filosóficas sobre la poesía como acto comunicativo son esenciales. Lo que es original es la habilidad de introducir una serie de preguntas sobre la realidad textual, preguntas que nunca llegan a encontrar una respuesta pero que elevan el nivel de concienciación textual. Estas preguntas son las mismas que aparecen en muchos creadores posmodernos que tratan cuestiones como la diferencia entre la vida y el arte, o entre la imaginación y la realidad.

En el poema «Faro sacratif» el poeta juega con el significado de palabras como «tiempo», «historia» y «ficción». Muchos de los poemas de Talens son meditativos y filosóficos y hacen referencia a la escritura como proceso, y a las contradicciones que surgen en el acto de escribir, pero estas contradicciones apuntan hacia cuestiones como la verosimilitud de la representación, el papel del lector y la autoridad del «yo» en el poema. La poesía se centra en la diferencia entre poesía y realidad. Hay la conciencia de que la poesía no es la realidad. La postura del escritor, sin embargo, no es desesperanzada sino que hay sosiego, confianza y estoicismo. Escribir es trabajar con estas contradicciones que vienen dadas por el hecho de que el instrumento es el lenguaje, y éste siempre es paradójico.

CAPÍTULO 8

ANTONIO COLINAS:
LA ARQUEOLOGÍA DE LOS ORÍGENES

A NTONIO Colinas es un poeta importante. Con el tiempo su obra ha ido creciendo en prestigio y es uno de los poetas imprescindibles de la generación. El autor nace en Castilla en 1946 en el municipio de La Bañeza (provincia de León). La vida le lleva a vivir en otros lugares; de adolescente reside en Córdoba durante un tiempo y después hará estudios universitarios en Madrid. Su estancia en Italia es fundamental; entre 1970 y 1974 es lector de español en las universidades de Milán y Bérgamo, experiencia que será decisiva para la creación de *Sepulcro en Tarquinia* (1975), uno de sus poemarios capitales. A partir de 1977 se aposenta en la isla de Ibiza y allí vivirá durante dos décadas hasta 1998, año en el que retorna a Castilla para fijar su residencia en la ciudad de Salamanca. Colinas no apareció en la antología de José María Castellet. Comienza a publicar algunos años después de la época de la renovación estética. Sus primeros libros de poemas datan de 1969, *Poemas de la tierra y de la sangre* y *Preludios a una noche total*. Su tercer libro, *Truenos y flautas en un templo*, se publica en 1972.

La poesía de Colinas se ajusta menos a las características de la posmodernidad que los otros poetas presentes en este estudio. El concepto de que la literatura es un simulacro no se evidencia en la obra de este escritor. La literatura como artificio, como construcción del autor, está mucho más presente en la obra de los otros miembros del grupo generacional. A Colinas le interesa la historia porque en ella hay algo que él considera que falta en la sociedad contemporánea.

La obra del poeta está influida por un clasicismo mediterráneo y los versos son más tradicionales métricamente que los otros miembros del grupo. El poeta no se siente atraído por los nuevos medios de comunicación de la cultura posmoderna como el cine norteamericano, la televisión, el cómic o la publicidad. Susana Agustín Fernández, al estudiar las diferencias entre el poeta leonés y los otros novísimos, hace hincapié en este aspecto comentando que al poeta no le gustaba ni el *rock* ni la música *country*, pero le encantaba la música clásica, especialmente Bach, Mozart, Shubert y Mahler (41). Le interesaba poco la televisión y, en términos de afición al cine, prefería las películas de Visconti o Bergman a las películas de Hollywood o los western. A Colinas le fascinan otros mitos culturales: «Los mitos que sedujeron a Antonio Colinas no fueron ni Marilyn, ni el "Che" Guevara, ni aún Yvonne de Carlo, antes al contrario, se dejó deslumbrar por las madonnas del renacimiento italiano. En su adolescencia, se inclinaba por Emilio Salgari en vez de Superman» (42).

Por otro lado, es un poeta culturalista cuya obra está llena de referencias históricas, artísticas y literarias que le acercan a la poesía de otros miembros del grupo como José María Álvarez, Pere Gimferrer y Guillermo Carnero. En la primera sección de *Sepulcro en Tarquinia*, por ejemplo, «Piedras de Bérgamo», Colinas dedica poemas a personajes históricos de Italia como Simonetta Vespucci, Giacomo Casanova, y también a Novalis, el poeta romántico alemán, y a Ezra Pound, el poeta norteamericano. Susana Agustín Fernández indica que aunque los gustos culturales de Colinas eran distintos «sí tuvo como ellos por maestros a Eliot, entre otros. Porque estos jóvenes poetas buscan el magisterio lejos de nuestras fronteras en autores de otras lenguas» (42).

Antonio Colinas no es un escritor aislado de su tiempo. En su poesía existe una crítica implícita de la modernidad avanzada que hace que su pensamiento poético tenga relevancia cultural en las últimas décadas del siglo XX y en el nuevo siglo. Al autor le parece que la sociedad contemporánea ha perdido el contacto con los orígenes. Es por eso que muchas de sus referencias culturales se basan en el mundo antiguo: los presocráticos, por ejemplo, o la mitología de Grecia y de Roma. Uno de los temas fundamentales en su obra es la fascinación con la cultura de lo sagrado. A través del interés en épocas antiguas, el escritor ofrece una crítica de la época de la posmodernidad. La ausencia de una relación con el pasado fundacional y con los mitos de los orígenes, se convierten en cuestiones a las que retorna continuamente. Su visión del papel de la poesía es la de recuperar un esencialismo a través de la excavación poética en el pasado. La arqueología es para Colinas un tipo de humanismo necesario en las últimas décadas del siglo XX, en una época en la que los avances tecnológicos parecen querer *borrar* la historia. El escritor también sugiere que es necesario volver a la naturaleza para, a través de ella, comprender el misterio de lo sagrado. En este sentido, su obra tiene también un componente ecológico.

La fascinación con la antigüedad clásica tiene mucho que ver con los años que pasó el autor en Italia. La primera sección de *Sepulcro en Tarquinia* contiene un total de diez poemas. Uno de estos textos es «Poseidonia, vencedora del tiempo». José Enrique Martínez Fernández explica que el texto es una referencia a un lugar al sur de Nápoles en donde hay una zona de ruinas que contiene los restos de algunos templos griegos del siglo VI a. C. (159). La contemplación de las ruinas le lleva a Colinas a reflexionar sobre su propia época, en un poema en donde se mezclan los tiempos históricos y en donde las piedras son un diálogo con la transcendencia:

pienso que los humanos no desnudan
bastante sus palabras, ni sus hábitos
ni hacia los astros tienden ya las manos.

llegada la hora de la destrucción,
Poseidonia es semilla y hecatombe,
acaso sólo espacio en el que arde
viciosamente el tiempo de los dioses (vv. 11-17).

El poeta sugiere que la sociedad modernizada de los años setenta –la época desde la que escribe– ha quedado muy alejada de los rituales que daban una identidad espiritual al ser humano. La relación que establecía el templo griego entre cielo (los dioses) y la tierra (los seres humanos) hablaba de una cierta transcendencia. El escritor presenta la idea de que la sociedad moderna tiene demasiadas capas, excesivo ropaje o, tal vez, demasiada protección debido a los espectaculares avances técnicos. Pero este progreso no ha mejorado la calidad espiritual del ser humano. Al construir los templos a los dioses se lograba una comunión con la mitología y los orígenes. La arquitectura clásica griega comunica esta relación poderosa entre lo humano y lo divino, y es esta relación la que el poeta considera que falta en la época moderna en donde el ser humano, tan alejado de la naturaleza, ya no conoce su propia relación con el cosmos.

La segunda parte del libro es un largo poema titulado, como el libro, «Sepulcro en Tarquinia» en donde se mezclan los recuerdos de una historia de amor con referencias a distintos lugares de Italia (Bérgamo, el lago de Garda y Venecia). También hay alusiones al sepulcro de un guerrero etrusco en la ciudad de Tarquinia al norte de Roma en la costa, inspirado en la novela *Solitario in Arcadia* (1947) de Vincenzo Cardarelli (1887-1959). El poema es complejo, es un entramado de experiencias personales y de referencias culturalistas al arte, la música, la arquitectura y la literatura.

La tercera sección de *Sepulcro en Tarquinia* es «Castra Petavonium» y el poeta cambia el contexto geográfico. De Italia se pasa a la España del noroeste, de donde proviene el escritor. El primer poema lleva el mismo nombre de la sección y es una descripción de las ruinas de un campamento militar romano en el valle de Vidriales en el norte de la provincia de Zamora cerca de la ciudad de Benavente, concretamente entre los municipios de Santibáñez de Vidriales y Rosinos de Vidriales, lindando ya con la siguiente provincia al norte que es León. En esta zona había vivido de niño Colinas durante un tiempo en la casa de sus abuelos. «Castra Petavonium» no sólo se basa en la fascinación que tiene el autor por el tema de las ruinas sino que existe una relación autobiográfica con el lugar. La legión romana se estableció en este lugar en la época de las guerras contra los astures y los cántabros. Era un sitio para controlar las rutas que llevaban al noroeste de la península, a Galicia. El campamento llegó a albergar a unos 6.000 soldados de la *Legio X Gemnina*. A partir del establecimiento del campo militar se fundó la ciudad romana de Petavonium. En el siglo V la ciudad fue abandonada a consecuencia de la invasión de los bárbaros. En 1972 se llevan a cabo unas excavaciones arqueológicas en las cuales participó Antonio Colinas y a las cuales se aluden en el texto.

El primer poema de esta sección se titula también «Castra Petavonium». El texto comienza con una descripción del paisaje alrededor de las ruinas en un día nublado de invierno con poco sol. Los ojos del poeta absorben los rasgos del paisaje y en la mirada se combinan, en distintos planos temporales, la realidad presente de la excavación con evocaciones de lo que un día fue el campamento romano. Las poderosas imágenes resucitan en la imaginación la vida militar romana, una vida dura, agreste y heroica. Los olores sugieren infecciones y suciedades orgánicas. Hay imágenes sexuales y alusiones al fuego que calienta el horno lleno de oro. La totalidad describe un universo fascinante, arcaico y salvaje:

> Petavonium: los caballos dentro de la cerca
> miran un anochecer con pus y luna llena,
> el músculo se afana con el cuero,
> horno bullente de oro, rameras, el estiércol,
> hoy qué arcaica la noche, qué risa el siglo XX
> (adobe con escarchas y vísceras de perro)
> no pasa el tiempo pues que ayer sacó
> la reja del arado un gran brazo de bronce,
> bien mío es este sueño destrozado,
> castra (fíbulas), Castra Petavonium (vv. 9-18).

En otra parte del poema se alude a la excavación y se mezclan en el texto los nombres latinos, Rufus y Furio, con los nombres de los amigos del autor presentes en el proceso de desenterrar objetos y descubrir salas y hogares. El poema es una totalidad en el que se van mezclando los tiempos históricos, el momento presente y el grandioso pasado evocado:

Rufus busca una sombra entre las peñas
(¿aún las cuatro?) está borracha
la piel de sol, ungüentos y cenizas,
más allá, más deprisa (salió el segundo hogar:
los reblos afilados, terracotas, granos pobres,
lámparas funerarias, las costras del aceite)
no vayáis tan deprisa, dijo alguien
(en las gafas de Furio el polvo de mil años)
¡y pensar que creíamos en verdades escritas! (vv. 32-40).

Un amigo del autor, Paco, trae una botella de vino y un saco lleno de restos arqueológicos mientras que la desgraciada Mara, ya no presente entre ellos, es recordada. Sobre el plano terrenal en donde estos seres humanos recorren el recinto sagrado, planea la misteriosa presencia de los dioses antiguos:

Paco viene con vino y un saco de cerámica,
Mara está en otro mundo, ¡qué desgracia!
nosotros tres quedamos
robando a Roma sueños destrozados
(nos morimos de pobres y desnudos,
pero estamos tranquilos,
si llegaran los Dioses
no hallarían aquí equivocación) (vv. 41-48).

Otro de los poemas de la sección es «Venía un viento negro…» en donde se desarrolla la simbología cultural del paisaje alrededor de las ruinas del campamento. La tierra está cubierta de campos de cereales. J. E. Martínez Fernández explica que se menciona el nombre Piñotrera (Peña Utrera), la colina al lado del castro de Petavonium cerca de donde pasaba la antigua calzada romana (181). Sobre la cima hay herrumbre, oxidación del hierro, alusión en el poema a tumbas romanas contenidas dentro de la colina. El poema tiene un aire mágico y la geografía contiene el hechizo de la historia. Las imágenes tienen un aire surreal; llega por la tarde un viento negro, lleno de premoniciones, y la tarde se llena de una oscuridad sangrienta. Los pájaros vuelan ebrios. Como si todavía estuviese presente Roma, se advierten en el cielo –como fantasmas– la pieza de tela de la sacerdotisa en la que se envuelve el cadáver y también la capa colorida de uno de los soldados romanos:

> *(todavía debemos esperar; nos lo ordena*
> *el pulmón en tensión, el aire antiguo)*
>
> *hay un imán inmenso dentro de la montaña*
> *aletea beodo cada pájaro, es tarde*
> *para encontrar la senda*
>
> *cubre el cielo*
> *la mortaja de lino de la sacerdotisa*
> *la túnica granate del centurión (vv. 7-14).*

En *Sepulcro en Tarquinia* aparece la idea de que la palabra lírica busca en el pasado enterrado una visión de la esencialidad del mundo. Las ruinas no son un conjunto de restos muertos sino que la memoria histórica está viva en ellas. El pasado tiene una función en el presente ya que la historia tiene continuidades y a pesar de que existen etapas históricas, se vuelven a repetir las trágicas o maravillosas epopeyas humanas: la guerra, la invasión, el deseo, el amor catastrófico, la fundación de ciudades, las lenguas, la arquitectura y la cultura en general. La indagación en el pasado enfrenta al escritor con el tema de la mitología y es precisamente lo mítico lo que el poeta considera que queda demasiado apartado de la vida moderna.

En el 2013, Bruno Marcos entrevista al poeta y el documento se publica bajo el título de «Ruinas Vivas, Entrevista a Antonio Colinas» en las páginas electrónicas de La Fundación Cerezales Antonino y Cinia de León, una institución privada de la provincia de León dedicada al crecimiento económico y a la educación. En esta conversación Colinas declara que en su poesía la ruina es un tema dinámico y fundacional:

> En mi obra la ruina no remite a lo caduco, a lo perecedero, a la muerte, sino que es un símbolo fértil. Tenemos que pensar, para comprenderlo bien, a (sic) la expresión de Mircea Eliade «espacio fundacional». Es decir, la ruina es aquel espacio objetivo, arrasado por la Historia, sí, pero en el que, sin embargo, el ser humano aún puede sentir y pensar con objetividad, sin interferencias de otros mensajes. En consecuencia, las ruinas son una lección del pasado, un espacio para reflexionar en el presente y un signo para desentrañar el futuro. En definitiva, un espacio, por ejemplo, de ruinas arqueológicas es un espacio vivo. Por eso, lo visitamos, lo recorremos en paz, nos sentamos sobre una piedra, contemplamos; es decir, como afirmaba Fray Luis de León nos templamos-con, nos armonizamos con él (1).

Marcos le pregunta al poeta sobre la ampliación de la definición de la palabra *ruina* para incluir temas como la pobreza, la desigualdad o el desastre. El entrevistador dice lo siguiente: «pero hay otra ruina humilde, que queda como huella de aspectos más negativos como la pobreza, el dolor o la injusticia. ¿Qué hacer con ella?» (2). Colinas responde diciendo que, efectivamente, la ruina puede también representar lo humano de manera más general y ser equivalente a conceptos como pobreza, dolor o injusticia. El poeta puede fijar la realidad en el poema, lo que Colinas llama «la realidad-realidad». La ruina puede parecer, en una época de crisis, como símbolo de caducidad, pero al mismo tiempo se puede interpretar como fuente de renacimiento. Las ruinas son, ante todo, unos espacios en donde se puede pensar en libertad. Estas reflexiones del autor apuntan hacia la necesidad de ahondar en lo fundacional, es decir, pensar en el origen de la civilización. Las ruinas son los espacios fundacionales por antonomasia, y desde allí –desde la concienciación de su existencia– se puede llegar, una vez más, a otro comienzo.

Colinas comenta en la entrevista con Marcos que en su generación literaria las ruinas se veían como elementos decorativos en el poema. Él, sin embargo, ve a estos espacios como algo más, y ese es el objetivo de un libro como *Sepulcro en Tarquinia*, un libro en donde el noroeste español entra en relación con las ruinas del mundo mediterráneo en Italia: «Pero siempre son espacio de vida, lugares en los que se desarrolla la verdadera vida del poema. La cultura no es tal cultura si debajo de ella no tiembla la vida, la experiencia de ser» (2). También declara el escritor que la sociedad actual necesita un cambio de modelos para ir hacia otra realidad social y cultural «en la que prevalezcan los valores sobre los meros intereses económicos y desarrollistas, sobre el saqueo de la naturaleza, sobre el vacío de la juventud, etc.» (2). Si el escritor comenta que existe desencanto o apatía entre la juventud es porque los incentivos y las presiones provienen del materialismo económico. Colinas parece insinuar que una juventud descentrada necesita otros alicientes que sean más culturales. Pero también es fundamental que haya un idealismo ecológico para salvar la destrucción de la naturaleza. Estas observaciones son los pensamientos de un hombre humanista que entiende que en la época de la posmodernidad ha dominado excesivamente lo económico.

José Enrique Martínez Fernández explica que un tema central en la obra de este poeta es la naturaleza que es «la que puede dar respuesta a las grandes –y eternas– preguntas del hombre» (37). Este tema está muy presente en *Noche más allá de la noche*, libro escrito entre 1980 y 1981, mientras el autor reside en la isla de Ibiza (el libro se publica en 1983). En el poema XXXIV Colinas ofrece una poesía de la contemplación de la naturaleza a través de una serie de preguntas sobre el tema misterioso de la luz:

> *¿La luz es de los dioses o la luz es un dios?*
> *En la luz de la espuma, la sonrisa y la lágrima.*
> *En la luz del aroma, la sangre iluminada.*
> *En la luz de la tierra, lo negro del negro.*
> *¿Hasta cuándo en la luz repetir las preguntas*
> *antiguas, hasta cuándo preguntar frente a un muro?*
> *¿El hombre será el dios, es el hombre la luz*
> *que en sí mismo provoca la dilatada luna? (vv. 1-8).*

La contemplación de la naturaleza lleva a estas preguntas que apuntan hacia temas esencialistas. Los versos son un buen ejemplo de la necesidad que siente el autor de conectar con los orígenes. Desde el contexto geográfico de su nueva residencia –la isla Ibiza en el Mediterráneo, iluminada por el sol nuevo y antiguo– aparecen las preguntas meditativas del autor.

Martínez aclara que existe una vertiente ética en la visión esencial que tiene Colinas del papel de la naturaleza, pues es el mundo natural el que «despertó en Colinas una fuerte conciencia ecológica que da cuenta de los riesgos que nos acechan: recalentamiento atmosférico, contaminación de fuentes y mares, deforestación, desertización, peligro nuclear, superpoblación, todo tipo de agresiones a la naturaleza» (47). También hay que destacar que en *Noche más allá de la noche* hay muchas referencias culturalistas, como las dedicadas a Homero. En muchos de los poemas hay alusiones a diversos episodios y personajes de *La Odisea*. También aparecen citados filósofos presocráticos como Heráclito y Parménides en los epígrafes del libro.

Colinas es un poeta distinto dentro de la generación. Aunque nace en la provincia de León, en Castilla, es el más mediterráneo del grupo sesentayochista. Su culturalismo conecta con José María Álvarez, Pere Gimferrer y Guillermo Carnero, pero por debajo existe un sustrato fundamental en donde la naturaleza y la ecología tienen un papel fundamental. Para Colinas, el poeta debe ser el que, desde la libertad creadora, puede poner las cosas en su sitio. Pero el poeta no puede ofrecer una solución específica o práctica porque ese no es su papel. El pensamiento poético de Colinas es siempre esencialista. En 1980, en un artículo publicado por Rosa María Pereda, aparecen unas palabras del autor que resumen adecuadamente la idea que tiene de la misión del poeta. Colinas indica que es imprescindible que el poeta no ignore las épocas de crisis:

«no puede ignorar los tiempos tensos, catastróficos, críticos, que nos ha tocado vivir. Muerta la dulce utopía del desarrollo infinito, el hombre, el poeta, debe hacerse, hoy más que nunca, grandes preguntas, *las* grandes preguntas...» (1).

Un asunto que debe esclarecerse es la relación del poeta con la tendencia neorromántica en la generación. Después de la ruptura esteticista de la segunda mitad de los sesenta, surge un período entre 1970 y 1972 en el que domina la reflexión metapoética y en donde Gimferrer, Carnero, Talens y Ullán tienen un papel importante. Aunque existen rasgos románticos en toda la generación, es a partir del final de esta época que aparece una etapa neorromántica y en el centro está el papel que desempeña Antonio Colinas. Su interés por la historia se comunica con poemas que tienen clara resonancia romántica, como en los versos del poema «Truenos y flautas en un templo» (del libro del mismo título, publicado en 1972):

> *Cuando mis pasos cruzan las estancias vacías*
> *todo el templo resuena como una oscura cítara.*
> *Oh mármol, si pudieras hablar cuántos secretos*
> *podrías revelarnos. ¿Hubo sangre corriendo*
> *sobre tu nieve dura? ¿Hubo besos y rosas*
> *o sólo heridos pájaros debajo de las cúpulas? (vv. 1-6).*

Recuperar la emoción a través de una contemplación de las prodigiosas artísticas obras del pasado, es importante. Colinas considera que se ha perdido en la posmodernidad la capacidad de emocionar, inspirar e inquietar. Si se consigue de alguna manera es a través del acto religioso o, en términos del ocio, a través del entretenimiento que ofrecen los *mass media*. La evocación de la arquitectura antigua a través de la arqueología –es decir, *la historia* que cuentan las piedras y su relación con lo divino– es un asunto que el poeta considera importante. Si Colinas acude al pasado con las pasiones del poeta romántico es porque considera que en la realidad contemporánea se ha extraviado algo fundamental.

Susana Agustín Fernández menciona la importancia que tiene para este poeta el pensamiento de Mircea Eliade (1907-1986), el filósofo y humanista rumano que se convirtió en uno de los grandes expertos del siglo XX en la historia de las religiones. Es a través de las ideas de Eliade que se puede entender a Colinas, un poeta humanista. Piensa Colinas que se debe rescatar la fascinación con la cultura de lo fundacional, con la cultura de los orígenes. Fernández explica que la superación de cuestiones importantes como el vacío cultural o la destrucción de la naturaleza tienen que pasar por una toma de conciencia de la importancia de lo sagrado en la vida humana:

> Para Colinas el poeta rescata el carácter sagrado que la naturaleza tenía para nuestros antiguos y lo reivindica en su obra poética. Eliade explica que la naturaleza poseía un carácter sagrado del que el hombre actual la ha despojado. Colinas indaga en los vínculos primeros que unieron al hombre con el mundo y la naturaleza en un afán por retornar al origen, de volver hacia las fuentes. Porque el texto poético representa un espacio antropológico, el poeta «recrea» la vida mediante una vuelta a los orígenes (233).

A pesar de las diferencias que existen entre Colinas y los otros miembros de la promoción de 1968, no hay duda de que el poeta está muy vinculado en su juventud a una generación marcada por las rebeldías culturales de 1968. En *Tiempo y abismo* (2008), Colinas recuerda esa época en el poema titulado «De repente, aquel 68». Los poemas del libro se escriben desde el nuevo milenio, entre 1999 y 2002. Colinas ha dejado ya de vivir en Ibiza y se ha trasladado a Salamanca. Sentado en un café de la infancia en el año 2000, con un grupo de amigos de la misma edad, el autor recuerda, treinta años después, una época dorada de exaltaciones juveniles sin dinero pero llena de descubrimientos. El poema evoca los viajes a Francia y después a Inglaterra, con paradas en Calais y en Dover, camino de Londres. El texto tiene un aire de nostalgia romántica y el poeta recuerda entrañablemente lugares de la ciudad de París, sitios que él vio. Cómo ha desaparecido, reflexiona el poeta, esa fiebre por viajar y aprender, por leer y ver mundo, cuando alrededor en el momento presente van muriendo los padres y parientes, y todo se dirige hacia el declive de los años:

> *¿En dónde aquellos soles de miel, las espesuras*
> *y espacios del Jardín de Luxemburgo,*
> *con los que nos quitábamos el hambre?*
> *¿Dónde el otoño de los adoquines*
> *(aún levantados) de las barricadas,*
> *las hojas muertas en estanques muertos? (vv. 22-27).*

Entre las imágenes recordadas están los cementerios de la capital francesa con las lápidas de mármol enverdecidas por el tiempo y la humedad. Allí reposaban los restos de grandes escritores como Baudelaire, Stendhal, Oscar Wilde y Marcel Proust, que en la etapa de juventud fueros algunos de los colosales maestros literarios. En el otoño de 1968 Colinas estuvo durante unos meses en París y en Londres, su viaje pagado con un premio de la ciudad de León por su libro breve titulado *Poemas de la tierra y de la sangre*. Comenta Martínez que en la ciudad francesa comenzó a escribir *Truenos y flautas en un templo*, libro que se publicaría luego en 1972. El culturalismo del libro se debía, según Martínez, a las visitas al Museo del Louvre y al Jeu de Paume y a las lecturas de poetas como Baudelaire y Saint-John Perse (24).

«De repente, aquel 68» concluye con una reflexión sobre el paso del tiempo. El café en el cual se encuentra el poeta con los amigos no es el de París de hace treinta y dos años y la tristeza que producen los recuerdos de un período de oro ha desaparecido y las personas no son las mismas de entonces. Las lanzas de la juventud se han convertido en cañas. En los ojos de la memoria compartida brilla, sin embargo, un tiempo intrépido lleno de andanzas y deslumbramientos:

> *La edad nos duele, abrasa la agridulce*
> *juventud, pero ahora no podemos*
> *desarmarnos de golpe la memoria, ignorar*
> *las lágrimas de gozo que hoy sentimos*
> *temblar en nuestros ojos*
> *al recordar el bueno oro de entonces.*
>
> *Las lágrimas y el oro de París:*
> *unos meses de furia iluminada (vv. 77-84).*

EPÍLOGO

E L deseo de inaugurar una poesía novedosa, completamente distinta de la que se había afianzado anteriormente, es el rasgo más característico de la poesía del grupo del 68. Lo que importaba era deslumbrar con la postura estética, con la intertextualidad cultural o con la reflexión metapoética. La lírica es auto-reflexiva y se ajusta a las prácticas literarias de la posmodernidad. El deseo de renovación estética, que es un fenómeno histórico español de los sesenta, lleva a esta promoción de poetas al tema de la intertextualidad y a juntarse con las corrientes posmodernas más allá de las fronteras nacionales.

Era imperativa la necesidad de abrirse culturalmente a todo lo que era nuevo, y de ahí que la poesía de cada uno sea tan diferente. Pero no deja de sorprender el carácter extremo de la ruptura. Tal es la reacción de Franco Fortini, el crítico literario italiano de tendencia neomarxista, en una carta que envía a José María Castellet e 2 de octubre de 1970, después de leer la introducción, las declaraciones sobre el tema de la poética y algunos de los poemas de *Nueve novísimos poetas españoles*. Ángel Luis Prieto de Paula hace referencia a esta carta en su larga introducción en el libro *Última fe*, la antología de la poesía de Antonio Martínez Sarrión. El asombro de Fortini se basa en el hecho de que estos jóvenes autores quieran volver hacia atrás, hacia las vanguardias de la primera mitad del siglo, y tengan entusiasmo por el surrealismo europeo con su capacidad rebelde de desatar una energía creativa basada en el irracionalismo: «no puedo dejar de sentir un escalofrío de sorpresa y de miedo, digo bien: de miedo, ante la prisa de la mayoría de estos autores por exhibir lo que acaban de comprar, según parece, en una de las inumerables librerías parisinas que desde hace un cuarto de siglo siguen proponiéndonos Breton Péret Artaud, Artaud Péret Bataille, etc., etc.» (32). Pero también reconoce el crítico italiano que estos jóvenes —no sólo en España sino también en Italia— tenían muchas razones para querer romper con el pasado inmediato, con la historia de su país y a veces también incluso con la lengua. La reacción de asombro de Fortini es una señal muy clara de que la ruptura estética había sido un fenómeno radical.

El papel del cine en el rupturismo es esencial. Ángel Luis Prieto de Paula comenta en *Musa del 68* que el cine «alcanza una importancia frente a la que otras artes tienen una tarea ancilar» (316). Es a través del novedoso medio que se pueden generar nuevas mitologías culturales. Pero el cine era una manera de definir la cultura de manera mucho más amplia. Se concibe la poesía de manera distinta, relacionada ahora con los nuevos medios de comunicación de masas, quitándole importancia a la tradicional afiliación literaria, es decir, a la pertenencia de la lírica al reino de la literatura. Es importante lo que indica Prieto de Paula sobre el hecho de que muchos de los autores de esta época se han educado con la cinematografía «y han amueblado su interior onírico con las creaciones del séptimo arte» (316).

A partir de los primeros años de la década de los setenta, empiezan a diluirse los modelos del vanguardismo y hacia 1975 es muy evidente para Prieto de Paula la dispersión estética. En su estudio de la poesía de Martínez Sarrión, Prieto de Paula indica que el nuevo esteticismo había perdido fuerza. Había sido no sólo una manera de adornar y hermosear sino también «un modo de expresar desdén por la realidad del entorno» (35). Hacia la mitad de los setenta, el culturalismo permanecía más como reflexión metaliteraria que como manifiesto estético. Juan José Lanz explica en su antología de 1997 que la fecha clave del cambio era 1974, año en el cual se establecen los fundamentos para otra renovación. Lanz comenta la importancia que tuvo «la recuperación progresiva del yo lírico» (62). Esta recuperación contrastaba con la importancia que le habían dado los novísimos al poema como objeto artístico. Para ellos el poema era un objeto inserto en un mundo de intertextualidades culturalistas y un resultado de lo lingüístico. De esta manera, el poema imperaba desde su primacía textual.

En la antología de 1997 Juan José Lanz menciona la publicación de algunos poemarios significativos de los setenta como *Los trucos de la muerte* (1975) de Juan Luis Panero, *Sepulcro en Tarquinia* (1975) de Antonio Colinas, *Hymnica* (1979) de Luis Antonio de Villena, y *La caja de plata* de Luis Alberto de Cuenca (1985). Antonio Colinas será uno de los representantes de la tendencia neo-romántica en la generación mientras que el poeta Jaime Siles es el impulsor de una lírica basada en la esencialidad del lenguaje. Entre sus publicaciones destacan *Canon* (1973), *Alegoría* (1977) y *Música de agua* (1983).

Cabe mencionar la importancia que tendrá en el futuro la poesía de Luis Alberto de Cuenca, un hombre con una enorme formación humanística que abarca la filología, el clasicismo antiguo, la traducción, la crítica literaria y el articulismo. Cuenca fue, además, director de la Biblioteca Nacional entre 1996 y 2000. A parte del libro antes mencionado, también cabe resaltar títulos como su primer libro, *Los retratos* (1971), y también *El hacha y la rosa* (1993) y *Por fuertes y fronteras* (1996). Cuenca se inserta históricamente en una época posterior en donde la posmodernidad está ya más avanzada, un período situado después de la muerte de Franco en 1975, en la época de la transición política, entrando en la década de los ochenta. En un artículo sobre su obra, Lanz habla de una «escritura palimpsestuosa» (306); el crítico vincula el palimpsesto en Cuenca a la idea del pastiche y a la intertextualidad en general. Cuenca representa la continuación de un culturalismo posmoderno basado en «la concepción de la escritura como re-escritura» (311). La intertextualidad en este escritor es compleja llegando a convertirse a menudo en un juego paródico que recuerda algunas veces la poesía de Felix de Azúa. En Cuenca el poema crea una ambigüedad seductora en donde se confunde la referencia cultural con la traducción, la imitación con la transformación, y la transposición con el marco del poema en la realidad actual o cotidiana.

Es importante, sin embargo, volver hacia atrás un momento para tener conciencia de la transcendencia de la ruptura estética de los sesenta. El año era 1966 y el desarrollismo económico estaba mejorando la situación del país. Las libertades personales y políticas, sin embargo, seguían restringidas aunque a nivel cultural había más tolerancia. La década pasaría a ser llamada la de *la generación ye yé*, referencia a la nueva música. Un joven poeta catalán, Pere Gimferrer, había publicado en ese año *Arde el mar*, libro con el cual había ganado el Premio Nacional de Poesía. Era una poesía intertextual llena de madurez literaria con referencias a escritores extranjeros como Ezra Pound, Oscar Wilde y Gabriele d'Annunzio. Las inter-textualidades culturalistas se manifestaban con una capacidad de recreación y de juego que correspondía a la posmodernidad literaria en general. El verso estaba impregnado de una sensibilidad este-ticista que, para la época, era singular. El poema «Oda a Venecia en el mar de los teatros» se vestía de barroquismo y poseía una pasión por la expresividad del verso modernista. De esta manera, se introducía una sensibilidad completamente distinta de la del rea-lismo social. A través del culturalismo intertextual, mezclado con un venecianismo lleno de lujos y suntuosidades, se inauguraba una ruptura con el pasado, y se apostaba por la renovación.

Los poetas que comenzarán a publicar en una época que va des-de la segunda mitad de los sesenta hasta los primeros años de la década de los setenta, verán el hecho literario como un fenómeno cultural. Pero esta dimensión les hará ahondar en una visión de la literatura en donde lo ficticio es primordial. La experimenta-ción —fundamental, por ejemplo, en el neo-surrealismo de Anto-nio Martínez Sarrión o en las insólitas deconstrucciones verbales de José-Miguel Ullán— también será importante en el proceso de estrenar un nuevo vanguardismo. Un poema es una invención, un acto creativo que, como tal, revierte al tema de la intertextualidad y a las analogías presentes en la cultura. Hay un culturalismo litera-rio en Guillermo Carnero y en José María Álvarez con referencias a Shakespeare, Stendhal, Thomas Mann u Oscar Wilde. Pero tam-bién existe la estética de la cultura *pop* en Leopoldo María Panero o en Ana María Moix, con alusiones a los Rolling Stones, Tarzán, las películas de Walt Disney, el Ché Guevara y los gángsters.

El poema como ficción lleva a muchos de estos poetas a reflexio-nar sobre el carácter auto-reflexivo y metaliterario de la literatura.

Asimismo, se acentúa que la poesía es una manifestación cultural que está más allá de definiciones cerradas de lo que es la literatura. Se pretendía abrir la poesía al impacto de otras disciplinas de la misma manera que se exploraban culturas literarias y estéticas más allá de las fronteras españolas. La importancia que tiene el arte y la sensibilidad artística en la poesía de estos autores no hace sino realzar el hecho literario como una forma de creación. Aunque existen referencias culturalistas a pintores canónicos como Giorgione, Velázquez o Watteau, o a la arquitectura de Venecia o de Italia, la visión que tienen los sesentayochistas del arte y de lo artístico es muy amplia. Se le da relevancia cultural a los nuevos medios de comunicación: las películas, por supuesto, pero también el cómic, el tebeo, el poster, la música del jazz y del rock and roll, la publicidad y la televisión. La necesidad de actualizar la mitología cultural conlleva el deseo de evitar cualquier encasillamiento. Félix de Azúa y Ana María Moix se han destacado, por ejemplo, en el terreno de la narrativa. En el caso de Manuel Vázquez Montalbán, sus aportaciones a la novela policíaca en España fueron fundamentales.

Hay también poetas como Antonio Colinas que, a pesar de su pertenencia generacional al grupo, son distintos. Desde su conocimiento de la antigüedad clásica, del mundo greco-latino, fruto de su estancia en Italia cuando es joven y, luego, de sus años de residencia en la isla mediterránea de Ibiza, Colinas ofrece una crítica de la vida cultural en la época de la posmodernidad al reflexionar sobre temas como la pérdida de lo sagrado y la necesidad de recobrar una visión humanística que tome en cuenta lo fundacional. No hay duda, sin embargo, que un libro como *Sepulcro en Traquinia*, publicado en la década de los setenta, enlaza con el culturalismo refinado y cosmopolita de otros miembros del grupo. También hay que constatar que el interés del poeta en la arqueología le confiere la posibilidad de interpretar los mitos antiguos, y su poesía logra originales relaciones intertextuales entre el pasado y el presente.

Con respecto al vanguardismo de la generación, queda claro que éste se manifiesta como manera de valorar la independencia de la creación artística. Los poetas del 68 encontrarían en las vanguardias de entreguerras modelos para poder pensar en los aspectos formales de la poesía, y no hay duda de que hay una recuperación importante de esas vanguardias europeas. Los sesentayochistas emplearán procedimientos vanguardistas como las técnicas del surrealismo y del collage, pero lo harán desde una postura menos heroica, menos combativa y mucho más irónica, siempre desde una perspectiva en donde la capacidad de juego, a nivel artístico e intelectual, es fundamental. Lo harán desde el entendimiento de que la cultura es también una manifestación formal y textual. Para ellos, la cultura se puede interpretar como un tipo de lenguaje, como una forma discursiva que el poema no puede ignorar porque es parte de ella. Hay que añadir que la influencia del movimiento surrealista es fundamental en uno de los miembros del grupo, Antonio Martínez Sarrión.

Una de las peculiaridades de la posmodernidad, a nivel filosófico, es que es relativista. El punto de vista es fundamentalmente epistemológico, es decir, se basa en la manera de llegar al conocimiento. Como indica Stephen Hicks, para el pensador de la posmodernidad, la idea de la objetividad o el concepto de poder llegar a conclusiones objetivas, es realmente un mito ya que los valores son esencialmente subjetivos (20). En el pensamiento posmoderno se advierten las contradicciones que Jean François Lyotard puso de relieve al observar que las *grandes narrativas modernas* como el progreso, la democracia y la libertad, tienden a excluir a cierta gente y, por lo tanto, no son tan universales. La posmodernidad nace del desencanto con los ideales de la modernidad y es por eso que suele demostrar una actitud escéptica con respecto a la justificación de grandes causas sociales, ideologías políticas o visiones totalizadoras de la realidad.

Los novísimos se educan en la España de los sesenta, en un ambiente muy afectado por este tipo de ambigüedad y de escepticismo. Es verdad que este ambiente continúa en los setenta, pero incluso en esta década, ellos son todavía relativamente jóvenes y su educación sentimental continúa. El desencanto con respecto a lo que se consigue con la revolución estudiantil europea de 1968, también es un factor a tener en cuenta en todos ellos, pero muy especialmente en el caso de un libro como *Pautas para conjurados* de Martínez Sarrión.

Se habían dado cuenta que el realismo social de los cincuenta y, sobre todo, el concepto justificador de la poesía social –el que proponía que el escritor se tenía que comprometer con la realidad social– se había convertido en un callejón sin salida. Las ideas de la poesía social ya no correspondían con un país que se había modernizado rápidamente con los planes desarrollo y que había superado, en gran medida, la miseria y las carencias anteriores. En los cincuenta se había llevado a cabo la reconstrucción nacional bajo la hegemonía franquista. La década de los sesenta introducía el nuevo consumismo español que ofrecía una multiplicidad de ofertas culturales: las revistas, el cine, la televisión, el tebeo, la música norteamericana, etc.

Si la realidad es esencialmente subjetiva, entonces ésta se puede entender como una construcción cultural. Es por eso que surge una lírica de la intertextualidad, basada en la libertad formal y en donde se incorporan procedimientos literarios de la modernidad como la escritura automática surrealista, el collage, y temas exóticos de la poesía modernista del final del siglo XIX. Pero la poesía también tiene que tomar en cuenta los nuevos medios de comunicación, de ahí que aparezca la estética de lo *camp* y el interés en el arte pop. Se puede escribir un poema sensual sobre los suntuosos interiores del Palacio de Aranjuez, como hace Guillermo Carnero en *Dibujo de la muerte*, por ejemplo, o sobre un personaje como Dumbo de la película de Walt Disney en *Así se fundó Carnaby Street* de Leopoldo María Panero.

Uno de los atributos de la posmodernidad que se advierte en esta promoción es la auto-reflexividad. La calidad intelectual de la poesía se debe mucho a este distintivo. Los poetas juegan con la idea de que el poema es una creación, acentuando de esta manera el proceso artístico. Para un estudioso de la ficción posmoderna como Charles Russell, la intención de la auto-reflexividad en narradores como Borges, Barth, Robbe-Grillet o Pynchon, es forzar a que el lector observe y pueda criticar el proceso de creación literaria (293). Es decir, cómo el texto literario va construyendo significados. Uno de los capítulos finales del presente estudio está dedicado a este tema. Uno de los poemas comentados es el que dedica Guillermo Carnero a la pintura de Giorgione «La tempestad». En este poema ecfrástico, se establece una relación entre poesía y pintura que pone de relieve el carácter interpretativo de este tipo de ejercicio interdisciplinario. El poema en sí conduce a una reflexión sobre la creación poética que es también un tipo de interpretación. El texto de Carnero se basa en una pintura que, a su vez, es una interpretación del género pastoril pictórico, lo cual lleva a una serie de conceptos profundamente auto-referenciales sobre lo que es, en sí, el fenómeno literario. Desde un plano mucho más conceptual y semiótico, Jenaro Talens elabora una poesía auto-reflexiva cuyo objetivo es cuestionar la verdad textual. El autor logra situar al poema en el debate posmoderno sobre la identidad del texto literario. Para Talens, la poesía es un modo de fabular y lo queda en el poema, como residuo de esta referencia al hecho de contar historias, es una reflexión sobre la ficcionalización del tiempo.

La literatura posmoderna puede tener un componente de hedonismo. Esta peculiaridad tiene mucho que ver con un deseo de libertad en una época de desengaño con respecto a las grandes ideas e ideologías de la modernidad. Pero también es fundamental entender que la modernización produce una sociedad de consumo que valora y que necesita el ocio como distracción. En la España de los sesenta se advierte esta característica en los nuevos medios de comunicación que son nuevas formas de entretenimiento. Al relacionar temas como el ocio y el hedonismo con la poesía de esta promoción, hay que tomar en cuenta que los novísimos son poetas culturalistas. En el caso de Leopoldo María Panero, el hedonismo refleja una actitud contra el *establishment*. En Guillermo Carnero, el hedonismo es más refinado e incluso aristocratizante. Manuel Neila destaca la importancia de *Dibujo de la muerte,* libro que en 1967 se convirtió en un ejemplo paradigmático de la ruptura estética que «constituye una reflexión original sobre la precariedad de la vida frente a la belleza perdurable del arte» (27). El hedonismo culto de Carnero se basa en un deseo de valorar la belleza artística frente al hecho irremediable de la muerte. De esta manera, según Neila, Carnero «proclama la autonomía de la obra artística» (27).

Es importante tomar en cuenta el hedonismo culturalista de un poeta como José María Álvarez, para quien la intertextualidad se convierte en la razón de ser del poema. Para Álvarez, la poesía es una manera de saborear, como un buen vino, los prodigios culturales de la humanidad. Más allá de la cultura, no hay nada que valga la pena ya que el ser humano se ve abocado hacia la muerte. Frente a la ansiedad del paso del tiempo, el poeta sugiere leer las grandes obras literarias, escuchar música y adorar la pintura. El hedonismo en Álvarez tiene un componente neo-romántico; la realidad inmediata le interesa poco. La admiración y la degustación de las grandes obras artísticas es la única posible heroicidad. *Museo de cera* aglutina la obra poética de un autor que le ha dado a este libro múltiples ediciones, desde la primera de 1974 hasta la última del 2002. Este libro es, en gran medida, un ejemplo paradigmático del culturalismo de toda una generación. Las visitas a grandes ciudades históricas como Roma Venecia o París, las referencias a Shakespeare o Ezra Pound, y el jazz de Charlie Parker o Fats Waller, son algunos de los componentes de un libro que es un gigantesco homenaje a la cultura, pero escrito siempre con la sabiduría de que los poemas pertenecen a un universo que también es ilusorio, como un museo de figuras de cera. Para Álvarez todo va camino de la ruina, y la poesía es una manera de exaltar ese paso de la grandeza a la nada. Nada más posmoderno que un libro dedicado a la arquitectura de la intertextualidad en donde el resultado es un entramado metaliterario de distintos textos, el del autor y el texto homenajeado, el epígrafe y el poema, creando siempre una ambigüedad sobre el tema de originalidad. Al fin y al cabo, la poesía de Álvarez es un tributo al lenguaje, el arma del poeta, y a la memoria nostálgica.

La ruptura estética de la generación del 68 conlleva un nuevo interés en el tema del lenguaje poético y los poetas establecen relaciones entre el poema y la historia de la cultura. Quieren romper con el pasado inmediato y, al hacerlo, resucitan toda una serie de discursos poéticos diversos al mismo tiempo que incorporan la nueva cultura de los medios de comunicación. La relación entre poema y lenguaje les lleva a acentuar el proceso creador del poema, y todos ellos abogan por la autonomía artística del poema que es una creación y también una recreación. El esteticismo y el culturalismo del grupo es parte de la posmodernidad literaria al lograr una serie de juegos intertextuales muy sofisticados que vienen a sugerir de manera metaliteraria que el poema es un hecho literario que, como tal, revierte al arte, a la ficción, al estilo y al lenguaje. Lo que hacen los sesentayochistas es realzar, en el propio poema, las correspondencias entre el texto poético y las diversas interpretaciones de lo que es la cultura.

Muchos de estos escritores trabajan con los límites de los géneros literarios. Las fronteras entre los géneros son débiles, para ellos, e interesa sorprender con la experimentación, con una nueva manera de interpretar la identidad del género con el que se trabaja. Leopoldo María Panero escribe poemas sobre la literatura infantil que se ubican en un marco narrativo cuyo lenguaje es conversacional. Ana María Moix logra una fusión entre canción y poema. Algunos de sus poemas son acontecimientos en un contexto que está a mitad entre la realidad y el cuento de hadas. La forma de estos poemas es narrativa; el texto parece ser una narración breve, pero el lenguaje es lírico. Algunos de estos poemas en prosa son sucesos insólitos, como el que relata la escena en la que Bécquer y el Ché Guevara, dos sombras enamoradas, juegan a las cartas. La brevedad de estos textos de Moix –son párrafos muy cortos–, hace reflexionar sobre la ambigüedad clasificatoria; ¿es un poema, un suceso, una descripción o una escena de un cuento de hadas? Para un poeta como José-Miguel Ullán, quien pasa parte de su juventud en Francia, la poesía es un sistema de signos lingüísticos. La originalidad de este autor reside en la experimentación estructural y gráfica.

La importancia del lenguaje como forma discursiva es fundamental. Cuestiones como el esteticismo o el culturalismo en la promoción acaban siendo partes de la búsqueda de nuevas maneras de ver el fenómeno poético. El deseo de romper con lo anteriormente establecido produce una variedad de propuestas que se unen en la concienciación de la importancia del lenguaje. En el panorama de los *felices sesenta*, estos poetas buscan deslumbrar con visiones originales, estilos novedosos y voces inusitadas.

Algunos poetas, como Manuel Vázquez Montalbán, logran retratar la España de la transformaciones económicas de los sesenta con versos que imitan los lenguajes de los medios de comunicación y en donde el collage, como forma organizativa, es esencial para adaptar el discurso poético al nuevo contexto cultural. El collage refleja las fragmentaciones de la existencia moderna, los pasos de un tipo de ambiente a otro, de un ámbito conservador y católico, por ejemplo, a uno que es liberal, comercial y moderno. El escritor toma en cuenta el impacto sobre la vida ciudadana de todo lo que es visual, de todo que proviene de los nuevos lenguajes mediáticos de la fotografía, la publicidad o del cine.

La figura de Manuel Vázquez Montalbán es particularmente paradigmática de la de un escritor de la posmodernidad. Fue un escritor marxista, encarcelado en 1962 en la prisión de Lérida por sus actividades políticas. Fue condenado a tres años de prisión por orden de un consejo de guerra. Luego no sólo llegó a ser uno de los importantes nombres en la antología de 1970 de Castellet, con la publicación de su poemario *Una educación sentimental* en 1967, sino que, con el tiempo, logró también ser uno de los más importantes novelistas de su generación. Esta biografía es una demostración muy clara del papel del escritor en la nueva cultura posmoderna. La compaginación de diversos géneros, en su vida: poesía, novela policíaca, novela histórica, articulismo periodístico, ensayo, prólogos, antologías y escritura sobre gastronomía, hace pensar en las fronteras tan permeables entre los géneros en la posmodernidad. El culturalismo tan amplio de este escritor prolífico le llevó a integrar, a través de los diferentes géneros que cultiva, sus sensibilidades, sus habilidades y sus opiniones en una España que había cambiado. En gran medida, Vázquez Montalbán fue uno de los importantes *cronistas* de ese cambio cultural y del paso en España de la resistencia política de los cincuenta a la posmodernidad cultural de los sesenta y los setenta.

La poesía del 68 es claramente rupturista y se aleja del realismo social anterior. La renovación poética de los sesenta coincide con la entrada de la poesía española en la posmodernidad. Al situar el poema dentro del proceso de ficcionalización, los novísimos expresan la idea de que la poética debe tener en cuenta cómo se construye una ficción, un mito o una nueva sensibilidad, ya que la obra creativa siempre tiene componentes culturales. Estos escritores se vuelcan en un aperturismo que es una manifestación de que la España de los sesenta se está transformando no sólo económicamente sino también culturalmente.

El mito del *pueblo* –el de que España es el pueblo– que había sido uno de los grandes lemas de la poesía social, interesa ahora poco y les parece a estos autores un asunto provinciano. Estos poetas, además ya no viven con las estrecheces de las generaciones de la posguerra. Volver temáticamente a la agonía de la guerra y a los años difíciles y sombríos de la posguerra, tampoco les interesa. La curiosidad que tienen por todo lo que es nuevo o lo que viene del extranjero es enorme. El deseo de abandonar el provincianismo, de salir del encasillamiento cultural franquista, y de establecer relaciones con las literaturas de otros países, por ejemplo, o ciudades exquisitas como Venecia o de relacionar la poesía con el cine de Hollywood, les lleva a incorporarse a toda una serie de nuevas sensibilidades que están en la base de lo que es la posmodernidad cultural.

Si *Arde el mar* de Pere Gimferrer representa a mitad de los sesenta una sorpresa insólita, en cuya base está la búsqueda de la belleza exquisita, es curioso observar que unos años más tarde el discurso, en general, se convertirá en tema poético, llevando a muchos de estos poetas hacia la conciencia de la importancia de la auto-reflexividad en el poema. En 1970, Guillermo Carnero ofrecería una definición de la poética en las páginas de *Nueve novísimos poetas españoles*. Poetizar para Carnero es una cuestión de estilo. En gran medida, la poesía sesentayochista tiene que ver con el estilo del discurso, situándolo, como forma, en un plano primordial. La poesía, como el arte, tiene que ver con el lenguaje usado, lo cual localiza al texto poético en un entramado de relaciones dentro de la historia de la cultura o en relación con las invenciones mediáticas de la cultura de la época.

En la posmodernidad la literatura tiende a interpretarse como un fenómeno indeterminado, es decir, el hecho literario es ambiguo, discontinuo, rebelde, pluralista y desmitificador. Una de las razones es que se pierde la fe en el logocentrismo de la modernidad. Gimferrer en su poema «Celadas», parte del libro *Els Miralls,* ve la poesía como una trampa que coloca al escritor, al lector y al corrector de pruebas en una situación complicada. Es imposible, además, saber cuál es la imagen original de la obra artística, detrás de la superficie, ya que ésta está tapada, y llegar a ella es imposible como ya sugirió el novelista Henry James. En Felix de Azúa hay un interés en la relación entre la existencia y el azar. En un poema como «El jugador de dátiles» del libro *El velo sobre el rostro de Agamenón,* el autor explora este tema. La vida a menudo es un asunto de suerte, como un juego de dados. En los poemas en prosa de Ana María Moix en *Baladas del dulce Jim,* la poesía es un suceso, una situación inaudita que puede ocurrir en un contexto imprevisible como es el de la calle impersonal de una gran metrópoli.

Desaparece en el mundo posmoderno la idea de que existe una realidad estable y permanente. No se cree en el determinismo del pensamiento racional. Todo es incierto y cambiante, todo es mucho más relativo en un mundo en donde las ideas totalizantes ya no se valoran de la misma manera porque se ha comprobado que no se puede reducir la realidad a una sola interpretación. Es por eso que gran parte de la poesía de la promoción de 1968 es como un juego.

Es irónico, por ejemplo, que el poema estructural, presentado como una columna, de José-Miguel Ullán en *Maniluvios,* «Llave de la mano», tenga precisamente ese título. El significado total de este conjunto es huidizo porque el autor quiebra el verso e incluso corta las propias palabras. Se sitúan los vocablos como signos en la página. El lector, desconcertado, tiene que reconstruir el significado y de esta manera se conciencia de que la escritura de poesía es un proceso que funciona con las herramientas del escritor, que son las palabras. Pero el significado total es evasivo y el texto alude continuamente a las limitaciones de la expresión poética.

Los poetas del 68 han podido observar que, varias décadas antes, las diferentes ideologías políticas llevaron a una guerra terrible en una España dividida en dos bandos antagónicos. Ellos prefieren, en el amanecer de una nueva etapa, no pensar excesivamente en estos asuntos. Se aprovechan de una oferta cultural mucho más amplia. Prefieren leer grandes obras literarias o evadirse en uno de los grandes museos occidentales, escuchar la nueva música, ver las películas que vienen de los Estados Unidos o pasear por una ciudad histórica llena de una mitología cultural que hace que la imaginación artística vuele. Pero la gran evasión para ellos es la poesía, y la poesía se convierte en un juego muy sofisticado en donde la referencia cultural es articulada por un lenguaje muy estudiado por ellos, y al final lo que importa es el lenguaje en sí, el lenguaje como el verdadero tema del poema.

BIBLIOGRAFÍA

Agustín Fernández, Susana. *Poesía y pensamiento en Antonio Colinas (1967-1988)*. Doctoral Thesis. Universidad Complutense de Madrid: Madrid, 2004. E-Prints Complutense (2009), 28 de mayo, 2015.

Alberti, Rafael. «Cita triste de Charlot» *Antología de los poetas del 27*, ed. de José Luis Cano. Madrid: Espasa Calpe, 1994, p. 361.

Álvarez, José María. *Museo de cera*. Sevilla: Renacimiento, 2002.

de Azúa, Félix. «Manolo» en *Manuel Vázquez Montalbán*, 20 de octubre del 2003, p. 1, 14 de diciembre del 2012. <http://www.vespito.net>.

Barella, Julia. «De los Novísimos a la poesía de los 90» en *Clarín*, 15 (1998), pp. 13-18.

—. «Un paseo por el amor en Venecia y por la muerte en Beverly Hills», *Anthropos*, 140 (1993), pp. 50-54.

Batlló, José. *Poetas españoles poscontemporáneos*. Barcelona: El Bardo, 1974.

Best, Steven y Kellner, Douglas. *Postmodern Theory. Critical Interrogations*. New York: The Guilford Press, 1991.

Blesa, Túa. «Leopoldo María Panero, la muerte del último poeta» en *El cultural*, 6 de marzo, 2014, pp. 1-2, 25 de mayo, 2014. <http://www.elmundo.es>.

BOUSOÑO, Carlos. «La poesía de Guillermo Carnero». *Guillermo Carnero. Ensayo de una teoría de la visión: Poesía 1966-1977*. Madrid: Hiperión, 1979, pp. 11-68.

BUTLER, Christopher. *Postmodernism. A Short Introduction*. Oxford University Press, 2002.

CALINESCU, Matei. *Five Faces of Modernity. Modernism, Avant-garde, Decadence, Kitsch, Postmodernism*. Durham: Duke University Press, 1987.

CANO BALLESTA, Juan. «Introducción» en *Poesía española reciente (1980-2000)*. Madrid: Cátedra, 2002, pp. 19-72.

CARNERO, Guillermo. *Dibujo de la muerte. Obra poética*. Madrid: Cátedra, 1998.

CASADO, Miguel. «Critical Stories and Dominant Trends in the Generation of 70'» en *A Bilingual Anthology of Spanish Poetry.The Generation of 1970*, ed. de Luis A. Ramos García. New York: Edwin Mellen Press, 1997, pp. 1-37.

CASTELLET, José María. *Nueve novísimos poetas españoles*. Barcelona: Ediciones Península, 2001.

CERNUDA, Luis. «Unos cuerpos son como flores» en *Antología de los poetas del 27*, ed. de José Luis Cano. Madrid: Espasa Calpe, 1994, p. 312.

COLINAS, Antonio. *En la luz respirada*. Ed. de José Enrique Martínez Fernández. Madrid: Cátedra, 2004.

—. «Piedras de Bérgamo» en *A Bilingual Anthology of Spanish Poetry. The Generation of 1970*, ed. de Luis A. Ramos García. New York: Edwin Mellen Press, 1997, pp. 202-206.

CONTE, Rafael. «La elegancia del equilibrio. Ana María Moix. Toda una biblioteca» en *El País*, Archivo, 5 de oct. 2002, p. 1, 29 de noviembre, 2012.

DEBICKI, Andrew P. *Spanish Poetry of the Twentieth Century. Modernity and Beyond*. University Press of Kentucky, 1994.

Díaz de Castro, Francisco J. y del Olmo Iturriarte, Almudena. «Antonio Martínez Sarrión en la crisis de la Vanguardia» en *Teatro de operaciones* y *Pautas para conjurados. Voces de Vanguardia*, ed. Fidel López Criado. Universidad de La Coruña, 1995, pp. 145-175.

García, Ángeles. «José-Miguel Ullán: el poeta también era pintor» en *El País*, Archivo, 27 de abril del 2012, p. 1, 30 de mayo del 2014 <http://elpais.com/diario>.

García Jambrina, Luis. *La promoción poética de los 50*. Madrid: Espasa Calpe, 2000.

García Martín, José Luis. *Las voces y los ecos*. Madrid: Júcar, 1980.

García Posada, Miguel. *Los poetas de la generación de 1927*. Madrid: Grupo Anaya, 1992.

Gimferrer, Pere. «Algunas observaciones (1969)» en *Pere Gimferrer. Arde el mar*, ed. de Jordi Gracia. Madrid: Cátedra, 1997, pp. 145-48.

—. *Arde el mar*. Madrid: Cátedra, 1997.

—. «Carlos Fuentes» en *El Ciervo*, 150 (agosto, 1996), p. 13.

—. «*El Cardenal*, de Otto Preminger» en *Film Ideal*, 156 (15 de noviembre, 1964), p. 766.

—. «Hacia un cine operístico» en *Film Ideal*, 143 (1 de mayo, 1964), pp. 296-298.

—. «The Big Sleep» en *Film Ideal*, 145 (1 de junio de 1964), p. 382.

Gracia, Jordi. «Introducción» en *Pere Gimferrer. Arde el mar*. Madrid: Cátedra, 1997, pp. 1-98.

Gregson, Ian. *Postmodern Literature*. London: Arnold, 2004.

Hassan, Ihab. «Toward a Concept of Postmodernism» *en A Postmodern Reader*, eds. Joseph Natoli y Linda Hutcheon. Albany: State University of New York Press, 1993, pp. 273-286.

HELLER, Agnes. «Existentialism, Alienation, Postmodernism: Cultural Movements as Vehicles of Change in the Patterns of Everyday Life» en *A Postmodern Reader*, eds. Joseph Natoli y Linda Hutcheon. Albany: State University of New York Press, 1993, pp. 497-509.

HICKS, Stephen R. C. *Explaining Postmodernism: Skepticism and Socialism from Rousseau to Foucault*. Ockham's Razor Publishing, 2011.

HUTCHEON, Linda. «Beginning to Theorize Postmodernism» en *A Postmodern Reader*, eds. Joseph Natoli y Linda Hutcheon. Albany: State University of New York Press, 1993, pp. 243-272.

KRUGER-ROBBINS, Jill. *Frames of Referents. The Postmodern Poetry of Guillermo Carnero*. Cranbury, New Jersey: Associated University Presses, 1997.

LANZ, Juan José. *Antología de la poesía española 1960-1975*. Madrid: Espasa Calpe, 1997.

—. *Nuevos y novísimos poetas en la estela del 68*. Sevilla: Renacimiento, 2011.

—. «Poesía española en castellano» en *Fablas. Revista de poesía y crítica*. Santa Cruz de Tenerife: Ediciones Idea, 2007, pp. 53-108.

—. «Poesía e intertextualidad: dos poemas de Luis Alberto de Cuenca» en *Nuevos y novísimos poetas en la estela del 68*. Sevilla: Renacimiento, 2011, pp. 305-366.

DE LUIS, Leopoldo. «Aproximación a la poesía de Vicente Aleixandre» en *Vicente Aleixandre. Antología poética*. Madrid: Alianza Editorial, 1977, pp. 7-30.

LYOTARD, Jean François. *The Postmodern Condition: A Report on Knowledge*, traducción de Geoff Bennington y Brian Massumi. Minneapolis: University of Minnesota Press, 1999.

LÓPEZ, Ignacio Javier. «Introducción» en *Guillermo Carnero. Dibujo de la muerte. Obra poética*. Madrid: Cátedra, 1998, pp. 13-84.

MALTBY, Paul. «Excerpts from *Dissident Postmodernists*» en *A Postmodern Reader*, eds. Joseph Natoli y Linda Hutcheon. Albany: State University of New York Press, 1993, pp. 519-537.

MARCOS, Bruno. «Ruinas Vivas, Entrevista a Antonio Colinas», Fundación Cerezales Antonio y Cinia, 22 de marzo, 2013, pp. 1-2, 18 de mayo del 2014 <http://fundacioncerezalesantoninoycinia.org>.

MARTÍNEZ FERNÁNDEZ, José Enrique. «Introducción» en *Antonio Colinas, En la luz respirada*. Madrid: Cátedra, 2004, pp. 11-147.

MAYHEW, Jonathan. *The Poetics of Self-Consciousness. Twentieth Century Spanish Poetry*. London and Toronto: Associated University Press, 1994.

MOGA, Eduardo. «Última sangre. (Poesía 1968-2007), de Félix de Azúa». en *Letra Libres* vol. 75, diciembre 2007, pp. 1-2, 19 de mayo del 2012 <http://www.letraslibres.com/revista>.

MORAL, Concepción G y PEREDA, Rosa María. *Joven poesía española. Antología*. Madrid: Cátedra, 1985.

NEILA, Manuel. «Guillermo Carnero: el hedonismo de la inteligencia». en *Revista Cultural Turia, v. 85-86*. Teruel: IET, Gobierno de Aragón, 2008, pp. 26-37.

DE NORA, Eugenio. «Patria» en *Lírica española de hoy*, ed. de José Luis Cano. Madrid: Cátedra, 1992, p. 111.

NORRIS, Christopher. *Derrida*. Cambridge: Harvard University Press, 1987.

DE OTERO, Blas. «La Tierra» en *Lírica española de hoy*, ed. de José Luis Cano. Madrid: Cátedra, 1992. 76.

PANERO, Leopodo María. *Agujero llamado Nevermore. (Selección poética, 1968-1999)*, ed. de Jenaro Talens. Madrid: Cátedra, 2000.

PEREDA, Rosa María. «Antonio Colinas: "La única misión del poeta es escribir buena poesía"» en *El País*. Archivo, 4 de enero de 1980, pp. 1-2, 19 de mayo del 2014 <http://www.elpais.com>.

Peri Rossi, Cristina. «La bacante» en *A Bilingual Anthology of Spanish Poetry. The Generation of 1970*, ed. de Luis A. Ramos García. New York: Edwin Mellen Press, 1997, p. 102.

Perriam, Chris G. «Poetry and Culture: 1975-1996» en *The Cambridge Companion to Modern Spanish Culture*, ed. David T. Gies. Cambridge University Press, 1999, pp. 198-207.

Prieto de Paula, Angel L. «Introducción» en *Antonio Martínez Sarrión. Última fe. Antología poética, 1965-1999*. Madrid: Cátedra, pp. 13-127.

—. *Musa del 68. Claves de una generación poética*. Madrid: Hiperión, 1996.

Ramoneda, Josep. «Déjame que apague la luz», *Manuel Vázquez Montalbán*, 20 de octubre del 2003, p. 1, 14 de diciembre del 2012 <http://www.vespito.net>.

Rico, Manuel. «Mire usted, yo soy un poeta...» en *Manuel Vázquez Montalbán*, 20 de octubre del 2003, p. 1, 14 de diciembre del 2012, <http://www.vespito.net>.

Russell, Charles. «The Context of the Concept» *A Postmodern Reader*, eds. Joseph Natoli y Linda Hutcheon. Albany: State University of New York Press, 1993, pp. 287-298.

Sieburth, Stephanie. *Inventing High and Low. Literature, Mass Culture and Uneven Modernity in Spain*. Durham: Duke University Press, 1994.

Valente, José Ángel. «Conocimiento y comunicación» en *Poéticas españolas contemporáneas. La generación del 50*, ed. de Pedro Provencio. Madrid: Hiperión, 1996, pp. 96-101.

Vázquez Montalbán, Manuel. «Prólogo por Manuel Vázquez Montalbán a *Baladas del dulce Jim* de Anna Maria Moix, editado por El bardo, Barcelona, 1969» *en Manuel Vázquez Montalbán*, 2 de agosto del 2001, p. 1, 23 de noviembre del 2012 <http://www.vespito.net>.

INDICE

La ruptura posmoderna.
Esteticismo y culturalismo
en los poetas novísimos *españoles,*
número 119 de Iluminaciones,
terminó de imprimirse el
29 de marzo de 2017